Andrea Camilleri

Vandens forma

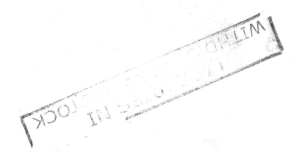

Andrea Camilleri

Vandens forma

Iš italų kalbos vertė
Inga Tuliševskaitė

baltos lankos

UDK 850-3
Ca-131

Versta iš:
Andrea Camilleri, *La forma dell'acqua,*
Palermo: Sellerio, 1999

Redaktorė Danutė Kalinauskaitė
Dailininkė Eglė Gelažiūtė

ISBN 9955-429-42-9

Vienas

Į „Splendor" bendrovės kiemą – pagal rangos sutartį jai priklausė rūpintis Vigatos miestelio švara – dar neįspindo nė vienas aušros spindulys. Dangų traukė žemi, sunkūs debesys, tarsi nuo vieno rėmo krašto iki kito būtų užtempta pilka drobulė. Nejudėjo nė vienas medžio lapelis, pietų vėjas irgi vėlavo busti, sunku buvo net kalbėti. Prieš paskirstydamas darbus brigadininkas paskelbė, kad Pepės Skemario ir Kaluco Brukulerio tądien darbe nebus, su pateisinama priežastimi. Tiesą sakant, priežastis buvo daugiau nei pateisinama, nes praėjusį vakarą jie abu suimti, kai ginkluoti bandė apiplėšti prekybos centrą. Sarą Montepartą ir Piną Katalaną, du jaunus matininkus, kurie kaip matininkai buvo bedarbiai, tačiau palankaus deputato Kuzumano tarpininkavimo dėka – už jį rinkimų kampanijoje abu grūmėsi kūnu ir dvasia (būtent tokia eilės tvarka: kūnas darė daug daugiau, nei buvo linkusi daryti dvasia) – sėkmingai papildžiusius „ekologinių darbuotojų" gretas, brigadininkas paskyrė į likusias laisvas Pepės ir Kaluco valdas, vadinamąjį avių aptvarą, mat kadaise ten kažkoks piemuo ganė savo avis. Tai buvo didelis brūzgynais apželęs plotas miestelio pakraštyje, nusidriekęs iki pat paplūdimio, su stūksančiais didžiulės chemijos gamyklos griuvėsiais. Ją iškilmingai atidarė deputatas Kuzumanas, papūtus galingam pažangos ir sėkmės vėjui, netrukus virtusiam lengvu vėjeliu, o paskui ir visai nurimusiam, kuris žalos padarė daugiau nei koks praūžęs viesulas, palikdamas paskui save bedarbiais nuklotą kelią. O kad po apylinkes klajojantys juodų ir ne tokių juodų atvykėlių iš Senegalo, Alžyro, Tuniso ir Libijos pulkai toje gamykloje nesusisuktų lizdo, apie ją pamažu iškilo aukšta mūrinė siena, už kurios vis dar stūksojo darganų, aplaidumo ir jūros druskos griaunami statiniai, kuo toliau, tuo labiau panašėjantys į haliucinacijų užvaldyto Gaudžio architektūrą.

Visai neseniai tiems, kuriuos tuomet dar vadino ne itin tauriais šlavėjų vardais, darbas avių aptvare atrodė lyg poilsis: tarp popierių, plastikinių maišelių, alaus ar kitokių skardinių, pridengtų ar atvirai paliktų ekskrementų kartais pasimatydavo vienas kitas prezervatyvas, o turintys lakesnę vaizduotę galėdavo nuspėti įvykusių pasimatymų smulkmenas. Tačiau jau metai toje vietoje mėtėsi krūvos prezervatyvų, lyg kilimas nuklojusių visą plotą – nuo tos dienos, kai niūraus veido ministras, vertas daktaro Lombrozo* studijos, iš dar niūresnių nei veidas minčių gelmės ištraukė vieną mintį, kuri jam pasirodė genialus viešosios tvarkos palaikymo šalies pietuose problemų sprendimas. Šita mintimi jis pasidalijo su savo kolega, kurio rankose buvo kariuomenė, atrodžiusi tarsi atgijusi „Pinokio" iliustracija, ir abudu nutarė pasiųsti į Siciliją kelis kariuomenės būrius „kontroliuoti teritorijos", kad karabinieriai, policininkai, informacijos tarnybos, specialiosios operatyvinės grupės, finansų policija, kelių policija, geležinkelių policija, uostų policija, ypatingieji daliniai, kovos su mafija, terorizmu, narkotikais, plėšimu, grobimu būriai ir dar kitos čia nepaminėtos institucijos galėtų atsidėti svarbesniems darbams. Toji šviesi šių dviejų iškilų valdžios vyrų mintis netikėtai privertė geltonsnapius šauktinius iš Pjemonto ir Friuli, dar vakar alsavusius gaiviu kalnų oru, dusti susigrūdus laikinose pašiūrėse vos per metrą virš jūros lygio pakilusiuose miesteliuose,

---

* Cezaris Lombrozas, devyVynioliktojo amžiaus italų psichiatras ir antropologas, kriminalinės antropologijos sukūrėjas, nurodęs išskirtinius somatinius nusikaltėlių bruožus.

tarp žmonių, kalbančių neperprantamu dialektu, daugiau nutylinčių nei pasakančių, nesuprantamai kilnojančių antakius ir raukšlėmis vagojančių veidus. Tačiau jie kaip pajėgdami prisitaikė, dėka savo jaunystės ir nuoširdžiai padedami vigatiečių, kuriuos sugraudino sutrikę jaunųjų atvykėlių veidai. Palengvinti jų tremtį stengėsi ir Džedžė Gulotas, sumanus vyras, iki tol priverstas po smulkaus verslininko kauke slėpti prigimtinį sąvadautojo talentą. Aplinkiniais keliais iš oficialių šaltinių sužinojęs apie netrukus atvyksiančius kareivius, Džedžė išaudė genialią mintį, o kad ją įgyvendintų nedelsdamas kreipėsi pagalbos į atitinkamus žmones, tuos, kurių rankose buvo visų nesuskaičiuojamų leidimų išdavimas. Į atitinkamus žmones, taigi realiai kontroliavusius teritoriją ir nė nesapnavusius leidimams naudoti žyminį popierių. Trumpai tariant, avių aptvare Džedžė atidarė savo turgų, kurio specializacija buvo šviežia mėsa ir lengvi narkotikai. Šviežia mėsa atkeliaudavo daugiausia iš Rytų valstybių, pagaliau nusimetusių komunistinį jungą, kuris, kaip visiems žinoma, gniuždė žmogaus orumą. Tarp avių aptvaro krūmokšnių ir smėlynų tas atsikovotas orumas naktimis vėl galėjo nušvisti visomis vaivorykštės spalvomis. Čia netrūko ir moterų iš trečiojo pasaulio valstybių, transvestitų, transseksualų, neapoliečių ir Brazilijos viados*, kiekvieno skoniui ir kiekvieną dieną – tiesiog nesibaigianti šventė. Prekyba klestėjo begaliniam kareivių, Džedžės ir už atitinkamus procentus leidimą išdavusiųjų džiaugsmui.

Pinas ir Saras, kiekvienas su savo karučiais, stūmėsi į paskirtąjį darbo barą. Iki avių aptvaro buvo pusvalandis kelio, einant lėtai, taip, kaip jie dabar ėjo. Pirmas penkiolika minučių abu žingsniavo tylėdami, suplukę. Tylą nutraukė Saras:
– Tas Pekorila tikras šmikis, – tarė.
– Paskutinis šmikis, – patvirtino Pinas.
Pekorila buvo darbą paskirstantis brigadininkas, kuriam šie

---

* Tansvestitai arba transseksualai iš Pietų Amerikos, užsiimantys prostitucija.

mokslų ragavę vyrukai jautė giliausią panieką, nes jis pats tebaigė septynias klases, jau sulaukęs keturiasdešimties, ir tik todėl, kad deputatas Kuzumanas atvirai pasikalbėjo su mokytoju. Todėl jis visada pasirūpindavo, kad trys jam pavaldūs diplomuoti šlavėjai gautų bjauriausias ir sunkiausias vietas. Iš tiesų, tą rytą Čiku Loretui atiteko pakrantės ruožas, iš kur į Lampedūzos salą išplaukdavo garlaivis. Tai reiškė, kad Čiku, diplomuotas sąskaitininkas, bus priverstas skaičiuoti kilogramus šiukšlių, kuriuos būriai rėksmingų turistų, klegančių įvairiomis kalbomis, bet suvienytų absoliučios paniekos asmeninei ir viešajai švarai, paliko savaitgalį laukdami garlaivio. Ten, avių aptvare, po kareiviams priklausančių dviejų išeiginių dienų Pinas su Saru irgi nesitikėjo tvarkos.

Ties Linkolno ir Kenedžio gatvių sankryža (Vigatoje dar buvo Eizenhauerio skveras ir Ruzvelto skersgatvis) Saras sustojo.

– Nubėgsiu namo pažiūrėti, kaip mažylis, – tarė draugui, – luktelk, aš greitai.

Ir, nelaukdamas Pino atsakymo, prapuolė vieno iš tų nykštukinių dangoraižių laiptinėje – aukščiausi tebuvo dvylikos aukštų, juos pastatė kartu su chemijos gamykla ir jie sunyko lygiai kaip ji, nors ir neištuštėjo. Atplaukiantiems jūra Vigata atsiskleisdavo tarsi sumažinta Manheteno parodija, gal todėl tokie buvo jos gatvių pavadinimai.

Mažylis Nenė gulėjo atmerktomis akimis, naktimis jis su pertrūkiais numigdavo vos kelias valandas, likusį laiką budėjo neverkdamas – argi gali vaikas taip niekada neverkti? Diena dienon jį sekino liga, nežinia kodėl įsimetusi ir nežinia kaip išgydoma, Vigatos daktarai niekuo negalėjo padėti, reikėjo jį vežti toliau, pas geresnius specialistus, tik iš kur gauti pinigų? Tėvo žvilgsniui susikirtus su Nenė žvilgsniu, šio kaktoje įsirėžė raukšlė. Jis dar nemokėjo kalbėti, tačiau nebyliai reiškė savo priekaištą tiems, kurie paleido jį į šitokį vargą.

– Jam kiek geriau, karštinė atlėgo, – pasakė Tana, Saro žmona, norėdama jį nudžiuginti.

Dangus prasivėrė ir nušvito saulė, tokia kaitri, kad net akmenys čirškė. Saras jau daugiau nei dešimt kartų buvo tuštinęs savo karutį į konteinerį, sukonstruotą prie kadaise buvusio gamyklos atsarginio išėjimo, ir jautėsi lyg sudaužytas. Pasukęs į taką išilgai apsauginės sienos, vedusį į pagrindinį kelią, pamatė ant žemės kažką žibant. Pasilenkė pažiūrėti. Ten gulėjo širdies formos pakabukas, didelis, inkrustuotas briliantais, su masyviu deimantu viduryje, užvertas ant storos auksinės grandinėlės. Ji buvo sutrūkusi. Dešinioji Saro ranka išsitiesė, čiupo papuošalą ir įsikišo jį į kišenę. Dešinioji ranka, kaip Sarui pasirodė, veikė nepriklausomai nuo jo, protui dar nespėjus atsitokėti iš nuostabos. Jis išsitiesė ir apsidairė – aplink nesimatė nė gyvos dvasios.

Arčiausiai paplūdimio dirbusio Pino akys netikėtai užkliuvo už automobilio, kuris vos už poros dešimčių metrų kyšojo iš krūmų, tankesnių nei aplinkiniai krūmokšniai. Jis sutrikęs sustojo, negalėdamas patikėti, kad kažkas septintą valandą ryto dar dulkinasi su kekšėmis, ir pradėjo atsargiai slinkti artyn, koja už kojos, kone dvilinkas, o pasiekęs priekinius žibintus staiga išsitiesė. Nieko, niekas nesuriko nekišti nosies ne į savo reikalus, automobilis atrodė tuščias. Jis prislinko arčiau ir pagaliau pamatė keleivio vietoje sėdintį neryškų vyro siluetą, atgal atmesta galva. Jis atrodė lyg būtų giliai įmigęs, tačiau Pinas šeštuoju jausmu pajuto, kad čia kažkas negerai. Pasisuko ir suriko, kviesdamas Sarą. Šis atlėkė uždusęs, išsproginęs akis.
– Kas atsitiko? Kas tau? Ko rėki?
Draugo balse Pinas išgirdo pykčio gaidelę, bet pagalvojo, kad tai dėl priverstinio bėgimo pas jį.
– Žiūrėk.
Įsidrąsinęs Pinas prisiartino prie automobilio iš vairuotojo pusės ir pabandė atidaryti dureles, veltui, durys buvo užblokuotos. Jau nurimusio Saro padedamas pabandė prieiti prie durelių kitoje pusėje, į kurias buvo atsišliejęs vyriškio kūnas, tačiau didelis žalias BMW stovėjo taip arti krūmų, kad iš tos pusės niekaip negalėjai jų pasiekti. Prasiskverbę kiek pajėgdami,

susidraskę gervuogių spygliais jie pagaliau vargais negalais įžiūrėjo vyro veidą. Jis nemiegojo, akys buvo plačiai atvertos, sustingusios. Tą pat akimirką, kai suprato, kad tas vyras negyvas, Pinas ir Saras staiga suakmenėjo iš baimės: ne todėl, kad akis į akį susidūrė su mirtim, o todėl, kad atpažino negyvėlį.

– Jaučiuosiu lyg pirtyje, – kalbėjo Saras, bėgdamas pagrindiniu keliu telefono automato link. – Tai karštis pila, tai šalta.

Vos atsipeikėję nuo kūną sukausčiusios baimės atpažinus negyvėlį, abu sutarė prieš pranešdami policijai paskambinti dar kai kam. Deputato Kuzumano telefono numerį mokėjo atmintinai ir Saras netruko jį surinkti, tačiau Pinas išjungė dar nespėjus nuskambėti pirmam signalui.

– Kabink ragelį, – paliepė.

Saras pakluso.

– Nenori, kad jam praneštume?

– Pagalvokime, gerai pagalvokime, dabar kaip tik puiki proga. Mes abu gerai žinome, kad deputatas yra tik marionetė.

– Ką nori tuo pasakyti?

– Kad jis yra tik marionetė inžinieriaus Luparelo rankose, tiesą pasakius, buvo, taigi. Mirus Luparelui, Kuzumanas tapo niekas, mazgotė.

– Tai kas dabar?

– Nieko.

Jie pasuko į Vigatą, bet paėjus vos kelis žingsnius Pinas sustabdė Sarą.

– Ricas, – tarė.

– Aš jam neskambinsiu, bijau, aš jo nepažįstu.

– Aš irgi nepažįstu, bet paskambinsiu.

Telefono numerį sužinojo informacijoje. Buvo dar tik be ketvirčio aštuonios, tačiau Ricas atsiliepė iškart po pirmo signalo.

– Advokatas Ricas?

– Taip.

– Advokate, atleiskite, kad trukdau jus tokį ankstyvą metą, bet... radome inžinierių Luparelą... atrodo, jis miręs.

Tyla. Paskui pasigirdo Rico balsas:

– Kodėl paskambinote man?

Pinas sutriko, tikėjosi visko, tik ne tokio klausimo, jam pasirodė keista.

– Kodėl? Argi jis ne ... jūsų geriausias draugas? Pagalvojome, kad jūs...

– Ačiū, bet pirmiausia privalote atlikti savo pareigą. Sudie.

Saras klausėsi pokalbio, priglaudęs skruostą prie Pino skruosto. Sutrikę jie pasižiūrėjo vienas į kitą. Ricas kalbėjo taip, lyg jam būtų pranešę, kad mirė žmogus, kurio jis nė vardo nežinojo.

– Po šimts, juk jie draugavo, tiesa? – pratrūko Saras.

– Iš kur mums žinoti, gal jie susipyko, – raminosi Pinas.

– Ką dabar darysim?

– Atliksime savo pareigą, kaip patarė advokatas, – užbaigė Pinas.

Jie nužingsniavo į miestelį, stačiai į komisariatą. Eiti pas karabinierius jiems nekilo nė minties šešėlis – jų vadas buvo milanietis. Policijos komisariatui vadovavo Salvas Montalbanas, iš Katanijos, kai jis norėdavo suprasti reikalą – visada suprasdavo.

Du

– Dar kartą.

– Ne, – tarė Livija, įsmeigusi į jį meile spindinčias akis.

– Prašau.

– Ne, juk pasakiau, ne.

„Man patinka, kai tu mane truputį prievartauji", – prisiminė kartą jos sušnibždėtus žodžius ir įsiaudrinęs pabandė įterpti kelį tarp jos suspaustų šlaunų, tvirtai apglėbęs delnais jos riešus ir ištiesdamas rankas taip, lyg būtų nukryžiuota. Valandėlę jie žiūrėjo vienas į kitą alsuodami, paskui ji staiga pasidavė.

– Taip, – tarė, – taip. Dabar.

Tą akimirką suskambo telefonas. Montalbanas užsimerkęs ištiesė ranką, siekdamas pagriebti ne tiek ragelį, kiek nenumaldomai tolstančio sapno kraštą.

– Klausau! – jis siuto nelaiku sutrukdytas.

– Komisare, turime klientą.

Atpažino kapralo Facijaus balsą. Kitas kapralas, Tortorela, vis dar gulėjo ligoninėje, pašautas į pilvą kažkokio menko niekšelio, norėjusio apsimesti mafijozu. Jų žargonu, klientas reiškė lavoną, kuriuo teks užsiimti.

– Kas jis?

– Dar nežinome.

– Kaip nužudytas?

– Nežinome. Tiesą pasakius, nė nežinome, ar jis nužudytas.

– Kaprale, klausyk, kodėl mane žadini nė velnio neišsiaiškinęs?

Giliai atsiduso, stengdamasis numaldyti beprasmį pyktį, kurį jo pašnekovas kitame laido gale kantriai kentė.

– Kas jį rado?

– Du šlavėjai, dirbę avių aptvare. Automobilyje.

– Atvažiuoju. Paskambink į Montelūzą, tegul atsiunčia ekspertizės grupę, ir perspėk teisėją Lo Bjanką.

Maudydamasis po dušu, pagalvojo, kad negyvėlis neabejotinai priklausė Kufaro gaujai iš Vigatos. Prieš aštuonis mėnesius, matyt, nepasidalijus teritorijų, kilo žiaurus karas tarp Kufaro gaujos ir Sinagros gaujos iš Felos. Kas mėnesį būdavo randama po lavoną, pakaitomis, vieną kartą Vigatoje, kitą – Feloje. Paskutinį kartą vigatiečiai Feloje nušovė tokį Marijų Saliną, taigi šį kartą neabejotinai atėjo kurio nors Kufaro gaujos nario eilė.

Prieš išeidamas iš namų – gyveno vienas nedidelėje viloje ties paplūdimiu, priešingoje miestelio pusėje nei avių aptvaras – pajuto nesuvaldomą norą paskambinti Livijai į Genują. Ši atsiliepė iškart, apsnūdusiu balsu.

– Atleisk, norėjau išgirsti tavo balsą.

– Sapnavau tave, – tarė ji. Ir pridūrė:

– Mes buvome kartu.

Montalbanas jau žiojosi sakyti, kad ir jis ją sapnavo, bet susilaikė, kvailai susidrovėjęs. Tik paklausė:

– Ką mes veikėme?

– Tai, ko jau labai seniai neveikėme, – atsakė Livija.

Komisariate, be kapralo, rado dar tris policininkus. Kiti buvo išvykę gaudyti drabužių parduotuvės savininko, dėl palikimo nušovusio savo seserį, o paskui pabėgusio. Pravėrė apklausos kambarėlio duris. Abu šlavėjai sėdėjo ant suolo susiglaudę, net tokiame karštyje išbalę kaip drobė.

– Laukite, tuoj ateisiu, – pasakė Montalbanas, tačiau anuodu nieko neatsakė, tokie buvo nusiminę. Žinia, pakliuvus į policiją, ir visai nesvarbu, dėl kokios priežasties, tekdavo ilgokai palaukti.

– Ar kas nors pranešė žurnalistams? – paklausė komisaras saviškių. Šie papurtė galvas.

– Žiūrėkit, nenoriu, kad jie painiotųsi man po kojomis.

Galucas nedrąsiai žingtelėjo pirmyn ir pakėlė du pirštus lyg prašydamas leidimo į tualetą.

– Net ir mano svainis?

Galuco svainis dirbo nusikaltimų kronikos reporteriu „Televigatos" televizijos kanale ir Montalbanas nesunkiai įsivaizdavo, koks šeimoje kiltų pragaras, jei Galucas jam nieko nepasakytų. Galuco akyse spindėjo nuolankus meldimas.

– Gerai. Tegul ateina jau perkėlus palaikus. Ir jokių fotografų.

Jie išvažiavo tarnybiniu automobiliu, Džialombardas liko budėti komisariate. Vairavo Galas, jiedu su Galucu mėgdavo vienas iš kito pasišaipyti, klausdami „na, kas naujo vištidėje?"*, ir Montalbanas sudraudė:

– Liaukitės ir nesumanykite lėkti, niekas neveja.

Posūkyje ties Karmelitų bažnyčia Pepė Galas nebesusivaldė ir paspaudė greičio pedalą. Pasigirdo trenksmas, lyg kas būtų šovęs iš pistoleto, ir automobilis suktelėjo į kelkraštį. Visi išlipo: dešinioji užpakalinė padanga karojo skutais, akivaizdžiai supjaustyta.

– Kad juos kur susuktų, tuos kalės vaikus! – pratrūko kapralas.

Montalbanas supyko nejuokais.

– Juk žinote, kad kas dvi savaites mums supjausto padangas! Po perkūnais! Kiekvieną dieną jums kartoju: prieš išvažiuodami patikrinkite ratus! Bet jums nė motais, kvailiai! Kol kas nors nenusisuks sprando!

Ratą keitė geras dešimt minučių ir, kai pasiekė avių aptvarą, ekspertizės grupė iš Montelūzos jau buvo atvažiavusi. Montalbano žodžiais, ekspertai dabar buvo apmąstymo fazėje, kitaip

* *gallo, galluzzo* – gaidys, gaidelis (it.).

tariant, penki ar šeši jų nukarinę galvas ir susikišę rankas į kišenes arba susidėję už nugaros vaikštinėjo aplink tą vietą, kur stovėjo automobilis. Atrodė lyg giliai susimąstę filosofai, tačiau iš tikro vaikštinėjo akylai žiūrėdami, ieškodami kokio nors pėdsako, atspaudo, įkalčio. Vos pamatęs Montalbaną, Jakomucis, ekspertizės skyriaus vadas, nulėkė jo pasitikti.

– Kodėl nėra žurnalistų?

– Aš taip liepiau.

– Šį kartą tave tikrai nušaus, kad neleidai jiems sužinoti tokios naujienos. – Jis buvo aiškiai susijaudinęs. – Žinai, kas negyvėlis?

– Ne. Sakyk.

– Inžinierius Silvijus Luparelas.

– Mėšlas! – išsprūdo Montalbanui.

– Ar žinai, kaip jis nužudytas?

– Ne, ir nenoriu girdėti. Pats pamatysiu.

Jakomucis įsižeidęs nužingsniavo prie saviškių. Ekspertizės fotografas jau baigė savo darbą, dabar atėjo daktaro Paskuano eilė. Montalbanas žiūrėjo, kokioje nepatogioje padėtyje teko dirbti daktarui, pusiau įlindus į automobilį, palinkus virš sėdynės greta vairuotojo, kurioje juodavo vyro siluetas. Facijus ir kiti Vigatos policininkai darbavosi su kolegomis iš Montelūzos. Komisaras prisidegė cigaretę ir pasisuko į chemijos gamyklos griuvėsius. Žavėjos jais. Nutarė sugrįžti čia kitą dieną ir padaryti keletą kadrų, nusiųstų Livijai nuotraukas, gal tie vaizdai padėtų paaiškinti jai apie save ir savo kraštą tai, ko toji moteris niekaip nepajėgė suprasti.

Pamatė artėjant teisėjo Lo Bjanko automobilį, teisėjas išlipo labai susijaudinęs.

– Ar tikrai nužudytas inžinierius Luparelas?

Akivaizdu, kad Jakomucis negaišo laiko veltui.

– Atrodo, taip.

Teisėjas priėjo prie ekspertizės grupės ir pradėjo audringą pokalbį su Jakomuciu ir daktaru Paskuanu, kuris išsitraukęs buteliuką spirito valėsi rankas. Po kurio laiko, kurio pakako, kad Montalbanas iškeptų saulėje, ekspertizės vyrai susėdo į automobilį ir išvažiavo. Važiuodamas pro šalį Jakomucis neatsisveikino. Už nugaros Montalbanas išgirdo greitosios pagalbos sireną. Dabar atėjo jo eilė, reikėjo veikti, nieko nepadarysi. Nusipurtė apėmusį sąstingį ir nužingsniavo automobilio su negyvėliu link. Pusiaukelėje jį sustabdė teisėjas.

– Kūną galite perkelti. Ir kuo greičiau, tuo geriau, turint galvoje vargšo inžinieriaus padėtį visuomenėje. Šiaip ar taip, prašau kasdien mane informuoti apie tyrimo eigą.

Jis nutilo, paskui pridūrė lyg norėdamas sušvelninti šitų žodžių kategoriškumą:

– Jums tinkamu laiku.

Tyla. Paskui:

– Suprantama, darbo valandomis.

Ir nuėjo. Darbo valandomis, ne namų. Nes visi žinojo, kad namuose teisėjas Lo Bjankas rašo išsamų ir sudėtingą veikalą *Rinaldo ir Antonijaus Lo Bjankų, profesoriavusių Džirdženčio universitete karaliaus Martino Jaunojo valdymo metais (1402– 1409), gyvenimas ir žygiai.* Juos laikė savo, nors ir labai tolimais, protėviais.

– Kaip jis nužudytas? – paklausė daktarą.

– Pažiūrėkite pats, – atsakė Paskuanas pasitraukdamas.

Montalbanas įkišo galvą į automobilį, kuris dabar priminė krosnį (šiuo atveju – krematoriumą), pažvelgė į lavoną ir prisiminė generalinį komisarą.

Prisiminė ne todėl, kad būtų pratęs pradėdamas kiekvieną naują tyrimą mintimis nukrypti į savo viršininką, o todėl, kad su senuoju generaliniu komisaru Burlandu, savo geru draugu, gal prieš dešimt dienų aptarinėjo Ariès knygą *Mirties supratimas Vakarų kultūros istorijoje.* Generalinis komisaras tvirtino, kad kiekviena mirtis, net pati niekingiausia, yra savaip šventa. Montalbanas tuomet atsakė, nuoširdžiai tuo tikėdamas, kad nė vienoje mirtyje, net popiežiaus, nemato nieko šventa.

Būtų norėjęs, kad generalinis komisaras dabar stovėtų greta, matydamas tai, ką jam teko matyti. Inžinierius, visada labai tvarkingas ir elegantiškas vyras, dabar sėdėjo be kaklaryšio, suglamžytais marškiniais, perkreiptais akiniais, nevykusiai pasipūtusiu švarku, ant batų nusmukusiomis kojinėmis. Bet labiausiai komisarą pribloškė iki kelių nuleistų kelnių, jose boluojančių apatinių kelnaičių ir kartu su apatiniais iki pusės pilvo užsiraičiusių marškinių vaizdas.

Ir varpa, bjauriai, nešvankiai apnuoginta, didžiulė, plaukuota, tikra priešybė jo smulkiam kūnui.

– Kaip jis nužudytas? – pakartojo klausimą, išlįsdamas iš automobilio.

– Juk akivaizdu, – grubiai atšovė daktaras Paskuanas. Ir pridūrė:

– Ar žinojote, kad vargšui inžinieriui buvo operuota širdis, o jį operavo garsus kardiochirurgas iš Londono?

– Prisipažinsiu, nežinojau. Praėjusį antradienį mačiau jį per televiziją ir man jis atrodė visiškai sveikas.

– Atrodė, tačiau buvo kitaip. Žinote, politikoje visi panašūs į šunis. Vos tik pajunta, kad nebepajėgi gintis – puola ir kanda. Sako, Londone jam įdėjo du šuntus ir operacija buvusi labai sudėtinga.

– Kas gydė jį Montelūzoje?

– Mano kolega Kapuanas. Jis atvykdavo tikrintis kiekvieną savaitę, rūpinosi savo sveikata, visada norėjo atrodyti pilnas jėgų.

– Ar man pasikalbėti su Kapuanu?

– Nėra jokios prasmės. Tai, kas čia atsitiko, akivaizdu. Vargšelis inžinierius užsigeidė pasidulkinti, gal su kokia egzotiška kekše, ir širdelė neišlaikė.

Pastebėjęs Montalbano akyse abejonę, sutriko.

– Neįtikinau?

– Ne.

– Kodėl gi?

– Prisipažinsiu, nė pats nežinau. Ar rytoj galėčiau gauti skrodimo rezultatus?

– Rytoj? Gal juokaujate! Prieš inžinierių manęs dar laukia ta dvidešimtmetė mergytė, išžaginta vienkiemyje ir aptikta po dešimties dienų, apkandžiota šunų, paskui Fofo Grekas, kuriam nupjovė liežuvį ir kiaušus ir paliko mirti pakabintą ant medžio, dar turiu...

Montalbanas nutraukė kraupųjį sąrašą.

– Paskuanai, sakykite tiesiai, kada galėsiu gauti skrodimo rezultatus?

– Poryt, jei tik manęs netampys į visas puses apžiūrinėti naujų lavonų.

Jie atsisveikino. Montalbanas pasišaukė kapralą su jo vyrais ir nurodė, ką daryti ir kaip pakrauti kūną į greitosios pagalbos mašiną. Po to paprašė Galą nuvežti jį atgal į komisariatą.

– Paskui grįžk atgal paimti kitų. Ir nesumanyk lakstyti, nes nusuksiu tau sprandą.

Pinas ir Saras pasirašė protokolą. Jame smulkiai aprašytas kiekvienas jų žingsnis iki surandant lavoną ir po to. Trūko tik dviejų svarbių faktų, kuriuos šlavėjai pasirūpino nuslėpti nuo policijos. Pirmas – kad jie iškart atpažino negyvėlį, antras – kad apie savo radinį paskubėjo pranešti advokatui Ricui. Paleisti namo tylėdami žingsniavo keliu, Pinas paskendęs mintyse, o Saras vis čiupteldamas už kišenės, kurioje slėpė rastąjį papuošalą.

Artimiausią parą nieko nenusimatė. Po pietų Montalbanas grįžo namo, griuvo į lovą ir miegojo tris valandas. Paskui atsikėlė, o kadangi tą rugsėjo vidurio dienos popietę jūra buvo lygi kaip stalas, ilgokai plaukiojo. Sugrįžęs išsivirė spagečių su jūros ežių padažu ir įsijungė televizorių. Visos žinių laidos kalbėjo apie inžinieriaus mirtį, negailėdamos jam liaupsių, kartkartėmis pasirodydavo kuris nors politikas ir, nutaisęs tokioms aplinkybėms deramą veidą, prisimindavo velionio nuopelnus bei dėl jo netekties kilusias problemas, tačiau nė vienas kanalas, net tas vienintelis, kuris priklausė opozicijai, neišdrįso pasakyti, kur ir kaip mirė jų apraudamas inžinierius Luparelas.

Trys

Saras ir Tana praleido bemiegę naktį. Nebuvo abejonės, kad Saras rado lobį, apie kokį sekama pasakose, kur vargšai piemenys randa puodynes su aukso monetomis ar brangenybių pilnas skryneles. Bet čia buvo kitaip: papuošalas, šiuolaikinio auksakalio kūrinys, pamestas praėjusią naktį – dėl to nebuvo jokių dvejonių – neabejotinai buvo labai brangus: nejau niekas jo nepasiges? Kaip ir kiekvieną vakarą susėdo virtuvėje prie stalo, įjungė televizorių ir atlapojo langą, kad kaimynai pastebėję ką nors neįprasta neimtų smalsauti. Tana karštai priešinosi vyro ketinimui dar tą patį vakarą parduoti pakabuką broliams Sirakūzoms, papuošalų parduotuvės savininkams.

– Pirma, – kalbėjo ji, – mes esame dori žmonės. Todėl negalime eiti ir parduoti daikto, kuris nėra mūsų.

– O ką, tavo nuomone, turėčiau daryti? Eiti pas savo viršininką, prisipažinti, kad radau papuošalą ir noriu jį atiduoti, o jis tegul grąžina tam, kam šis priklauso, vos tik ateis jo teirautis? Nepraėjus nė dešimčiai minučių tas šmikis Pekorila parduos jį kaip savo!

– Padarykime kitaip. Saugosime papuošalą čia, namuose, bet pasakysime Pekorilai, o jei kas ateitų jo pasiimti, atiduosime jam.

– Ir kas mums iš to?

– Gautume procentus, sako, kad yra tokie numatyti tiems, kas randa panašius daiktus. Kaip manai, kiek jis vertas?

– Gal dvidešimt milijonų, – atsakė Saras ir pats išsigando ištaręs tokią didelę sumą. – Tarkime, mes gautume du milijonus. Dabar pasakyk, ar mums užtektų dviejų milijonų apmokėti Nenė gydymą?

Taip jie ginčijosi iki aušros ir liovėsi tik todėl, kad Sarui reikėjo eiti į darbą. Bet rado laikiną sprendimą, iš dalies išsaugantį jų dorą: laikys pakabuką vieną savaitę, o paskui, jei niekas jo nepasigestų, parduos. Kai Saras, jau susiruošęs į darbą, nuėjo pabučiuoti sūnų, jo laukė staigmena: Nenė giliai miegojo, ramus, tarsi žinotų, kad tėvas rado būdą jį išgydyti.

Tą naktį Pinas irgi nesudėjo bluosto. Jis buvo mąslaus proto, mėgo teatrą ir vaidino mėgėjiškuose spektakliuose Vigatoje ir apylinkėse, kurie, deja, vykdavo kaskart vis rečiau. Kai tik leisdavo jo kuklus uždarbis, skubėdavo į vienintelį Montelūzos knygyną pirkti komedijų ir dramų. Gyveno su motina, kuri gaudavo nedidelę pensiją, todėl badauti jiems netekdavo. Savo motinai apie negyvėlio suradimą turėjo papasakoti tris kartus, su visomis smulkmenomis, nieko nepraleisdamas. Kitą dieną ši ruošėsi viską perpasakoti draugėms bažnyčioje ir turguje, didžiuodamasi savo žiniomis ir sūnumi, kuris buvo toks šaunus ir įsivėlė į tokią istoriją. Apie pusiaunaktį ji pagaliau nuėjo miegoti, o netrukus atsigulė ir Pinas. Bet apie miegą negalėjo būti nė kalbos, kažkas jam neleido sumerkti akių. Kaip sakyta, jis buvo mąslaus proto, todėl pasikankinęs dvi valandas protingai nusprendė nieko nepešiąs – tą naktį jam nebuvo lemta miegoti. Todėl atsikėlė, nusiprausė ir atsisėdo prie rašomojo stalo savo kambaryje. Dar kartą pasikartojo motinai papasakotą istoriją. Viskas atitiko, tas čirpimas buvo kažkur giliau. Lyg žaidžiant „šalta, karšta“: kol kartojo tai, ką buvo pasakęs, čirpimas tarsi bylojo „šalta, šalta“. Taigi jį turėjo sukelti kažkas, ką motinai nutylėjo. O nepasakė jai to paties, ką, susitaręs su Saru, nepasakė ir Montalbanui: kad iškart atpažino lavoną ir paskambino advokatui Ricui. Prisiminus tai, čirpimas virto kurtinančiu gaudesiu: „karšta, karšta"! Paėmęs rašiklį ir popieriaus lapą, žodis žodin užrašė pokalbį su advokatu. Perskaitė ką parašęs, įtempęs atmintį vietomis pataisė, kol pagaliau tekstas tapo panašus į pjesę, net su pauzėmis. Užrašęs galutinį variantą, dar sykį perskaitė. Tam pokalbiui kažko trūko. Bet neturėjo laiko aiškintis, reikėjo eiti į darbą bendrovėje „Splendor".

Nuo dviejų Sicilijos dienraščių, kurių vienas buvo leidžiamas Palerme, o kitas – Katanijoje, apie dešimtą valandą ryto Montalbaną atitraukė generalinio komisaro skambutis.

– Perduodu jums padėką, – tarė komisaras.

– Tikrai? Kieno gi?

– Vyskupo ir mūsų ministro. Monsinjoras Terucis džiaugiasi jūsų krikščionišku gailestingumu – būtent taip jis ir pasakė – kurį parodėte neleisdami žurnalistams ir fotografams, žinia, neturintiems jokių skrupulų ir padorumo, paskelbti nešvankias lavono nuotraukas.

– Bet tokį įsakymą daviau dar nežinodamas, kas negyvėlis! Taip būčiau pasielgęs su kiekvienu.

– Žinau, Jakomucis man viską papasakojo. Tačiau kodėl turėčiau atskleisti tokį menkniekį garbiajam dvasininkui? Kad nuvilčiau jį dėl jūsų krikščioniško gailestingumo? Brangusis, tas gailestingumas yra tuo vertesnis, kuo aukštesnę padėtį užima jo objektas, suprantate? Vyskupas netgi citavo Pirandelą.

– Negali būti!

– Taip. Tą vietą iš *Šeši personažai ieško autoriaus*, kur tėvas sako, jog negalima dėl vienos silpnumo akimirkos likti amžinai susietam su vienu negarbingu žingsniu, jei visą gyvenimą pragyvenai dorai ir nepriekaištingai. Kitaip tariant, negalima palikti ateities kartoms inžinieriaus su akimirkai nuleistomis kelnėmis atvaizdo.

– O ministras?

– Jis necitavo Pirandelo, nes tokio, matyt, nėra nė girdėjęs, bet jo aptakios ir lipšnios kalbos esmė buvo panaši. O kadangi priklauso tai pačiai partijai, kuriai priklausė ir Luparelas, leido sau pridurti dar vieną žodį.

– Kokį?

– Apdairumas.

– Kuo čia dėtas apdairumas?

– Nežinau, aš tik perduodu ką girdėjęs.

– Ar jau yra skrodimo rezultatai?

– Dar ne. Paskuanas norėjo laikyti jį šaldytuve iki rytojaus, bet aš įtikinau, kad padarytų skrodimą šiandien priešpiet arba iškart po pietų. Bet netikiu, kad sulauktume kokių staigmenų.

– Ir aš taip manau, – baigė pokalbį Montalbanas.

Grįžęs prie laikraščių, Montalbanas iš jų sužinojo daug mažiau, nei jau žinojo – Luparelo mirtis tebuvo akstinas prisiminti praeitį. Statybininkų dinastijos iš Montelūzos palikuonis (jo senelis suprojektavo senąją geležinkelio stotį, o tėvas – teismo rūmus), jaunasis Silvijus, puikiai apgynęs diplominį darbą Milano technikos universitete, sugrįžo į savo gimtąjį miestą tęsti ir stiprinti šeimos verslo. Praktikuojantis katalikas, politikoje laikėsi senelio – karšto kataliko – pažiūrų (tėvo pažiūras, kartu su fašistų būriais žygiavusio į Romą, buvo linkęs, kaip ir dera, nutylėti), aktyviai dalyvavo universiteto jaunųjų katalikų organizacijoje, kurios dėka suformavo platų draugų ratą. Nuo tada Silvijus Luparelas per kiekvieną sueigą, susirinkimą ar demonstraciją visada stovėdavo greta vyresniųjų partiečių, kiek atsitraukęs, šypsodamasis puse lūpų, lyg sakydamas, kad taip stovi iš pasirinkimo, o ne hierarchijos verčiamas. Ne kartą keltas kandidatu parlamento ar savivaldybių rinkimuose, tačiau kaskart atšaukdavęs savo kandidatūrą dėl pačių tauriausių motyvų, kuriuos visada paskelbdavo viešai ir kuriais visada rėmėsi su katalikui būdingu nuolankumu, tyliu tarnavimu šešėlyje. Tame šešėlyje tyliai tarnavo kone dvidešimt metų, kol pagaliau, stiprus tuo, ką savo skvarbiomis akimis pamatė šešėlyje, dabar jau pats įsigijo tarnų, iš kurių ištikimiausias buvo deputatas Kuzumanas. Paskui livrėja apvilko senatorių Portolaną ir deputatą Trikomį (tiesa, laikraščiai juos vadino „bičiuliais" ir „ištikimais šalininkais"). Trumpai tariant, visa partija Montelūzoje ir jos provincijoje atsidūrė jo kišenėje, kaip ir aštuoniasdešimt procentų valstybinių ir privačių užsakymų statybos darbams. Net kelių Milano teisėjų sukeltas žemės drebėjimas, sukrėtęs politinę klasę, jau penkiasdešimt metų sėdinčią, jį vos tepalietė; maža to, visada stovėjęs antrajame plane, dabar jis galėjo žengti į priekį, griaudėdamas prieš korumpuotus savo partijos draugus. Nepraėjus nė metams jis, kaip pertvarkos vėliavnešys, išrinktas partijos provincijos sekretoriumi, džiūgaujant jos nariams. Deja, nuo šio pergalingo išrinkimo ir mirties praėjo tik trys dienos. Vienas iš laikraščių apgailestavo, kad tokios aukštos ir tyros moralės žmogui klastingas likimas nepaliko laiko grąžinti partijai buvusios šlovės. Pagerbdami jį, abu lakraščiai sutartinai minėjo jo didį dosnumą ir kilniadvasiškumą, skaudžią valandą visada paruoštą ištiesti pagalbos ranką, vienodai draugui ar priešui. Montalbaną nupurtė šiurpas prisiminus filmuotą medžiagą, kurią prieš metus parodė vietinis televizijos kanalas. Inžinierius iškilmingai atidarė našlaičių namus Belfyje, gimtajame savo senelio kaime, pavadintus jo senelio vardu. Koks dvidešimt vienodai aprengtų vaikų dainavo inžinieriui padėkos dainą, o šis sujaudintas klausėsi. Tos dainos žodžiai neišdildomai įsirėžė komisaro atmintin: „Koks jis geras, koks jis mielas, inžinierius Luparelas."

Laikraščiai neužsiminė ne tik apie inžinieriaus mirties aplinkybes – jie nutylėjo ir gandus, jau senokai sklandžiusius apie ne tokią viešą jo veiklą. Sklido kalbos apie suklastotus rangos konkursus, milijardinius kyšius, šantažui artimą spaudimą. Tokiais atvejais visada šmėsteldavo ir advokato Rico pavardė: iš pradžių jis buvo Luparelo padėjėjas, paskui patikėtinis, o galiausiai tapo jo *alter ego*. Bet viskas tebuvo gandai, be jokių įrodymų. Minėta net, kad Ricas yra tiltas, susiejęs inžinierių su mafija, ir komisarui atsitiktinai teko pamatyti slaptą ataskaitą, kurioje buvo rašoma apie nelegalius pinigų srautus ir pinigų plovimą. Aišku, tai buvo tik įtarimai, nieko daugiau, nes jiems niekada nebuvo lemta tapti kūnu: kiekvienas prašymas leisti pradėti tyrimą pasimesdavo tų pačių teisingumo rūmų, kuriuos suprojektavo ir pastatė inžinieriaus tėvas, koridoriuose.

Per pietus Montalbanas paskambino į specialųjį kriminalinės policijos būrį Montelūzoje ir paprašė sujungti su inspektore Ferara. Ji buvo vieno jo mokyklos draugo, anksti sukūrusio šeimą, duktė, maloni ir linksma mergina, kažkodėl vis bandydavusi jį pakabinti.

– Ana? Man tavęs reikia.
– Negaliu patikėti!
– Ar po pietų turėsi laisvą valandėlę?
– Pasirūpinsiu, kad turėčiau. Visada tavo paslaugoms, dieną ir naktį. Pasiruošusi vykdyti tavo įsakymus arba tenkinti tavo norus – pats pasirink.
– Tuomet atvažiuosiu į Montelūzą tavęs paimti, apie trečią prie tavo namų.
– Netveriu džiaugsmu.
– Ir, prašau, apsirenk kaip moteris.
– Aukštakulniai bateliai, skeltukas per visą šlaunį?
– Tenorėjau pasakyti, kad nevilkėtum uniformos.

Sulig antru pyptelėjimu Ana pasirodė laiptinės tarpduryje, kaip visada punktuali, vilkėdama sijoną ir marškinėlius. Nieko neklausinėjo, tik pabučiavo Montalbaną į skruostą. Prakalbo tik automobiliui pasukus į pirmąjį iš trijų kelių, vedusių nuo pagrindinio kelio į avių aptvarą.
– Jei nori dulkintis, važiuojam pas tave namo, čia man nepatinka.
Aptvare stovėjo du ar trys automobiliai, tačiau juose sėdintys žmonės akivaizdžiai nepriklausė naktiniam Džedžės Gulotos būriui – tai buvo studentai ar miestiečių porelės, nerandančios tinkamesnės vietos. Montalbanas nuvažiavo takeliu iki galo ir sustojo, kai priekiniai ratai jau pradėjo klimpti į smėlį. Tankūs

krūmai, prie kurių buvo rastas inžinieriaus BMW, liko kairėje, šituo keliu nepasiekiami.

– Ar jį rado čia? – paklausė Ana.

– Taip.

– Ko ieškai?

– Nė pats nežinau. Išlipkime.

Ji pasuko mūšos linijos link, Montalbanas apkabino ją per juosmenį, prisiglaudė, ji padėjo galvą jam ant peties šypsodamasi. Dabar suprato, kodėl komisaras pasikvietė ją, tai buvo spektaklis, jiedu tebuvo įsimylėjėlių ar meilužių porelė, avių aptvare ieškanti nuošalios vietelės. Niekam nepažįstami, nekeliantys įtarimo. „Kalės vaikas, – pagalvojo, – jam nusispjaut į mano jausmus. “

Staiga Montalbanas sustojo nugara į jūrą. Krūmokšniai buvo tiesiai prieš juos, gal už šimto metrų. Neliko abejonių: BMW atvažiavo ne taku, o paplūdimiu, ir sustojo prie krūmų atsisukusi į gamyklą priekiu, kitaip tariant, priešingai nei būdavo priversti sustoti kiti automobiliai, atvažiavę nuo pagrindinio kelio pusės, stokodami erdvės apsisukti. Norintys grįžti atgal į greitkelį neturėjo kitos išeities, kaip tik važiuoti atbuli. Paėjėjo dar galiuką, apkabinęs Aną, nuleidęs galvą: jokių padangų pėdsakų, jūra viską nuplovė.

– Ką dabar darysime?

– Pirma paskambinsiu Facijui, paskui nuvešiu tave namo.

– Komisare, ar galiu pasakyti tau vieną dalyką, iš visos širdies?

– Aišku.

– Esi visiškas kvailys.

Keturi

– Komisare? Kalba Paskuanas. Gal malonėtumėt paaiškinti, kur po velnių buvote dingęs? Jau tris valandas jūsų ieškau, komisariate niekas nieko nežino.

– Daktare, jūs ant manęs pykstate?

– Ant jūsų? Ant viso pasaulio!

– Kas atsitiko?

– Buvau priverstas suteikti pirmenybę Luparelui, lygiai taip pat, kai jis dar buvo gyvas. Kodėl tas žmogus net miręs turi būti pirmas? Gal ir kapinėse jį palaidos pirmoje eilėje?

– Ką norėjote man pasakyti?

– Tai, ką vėliau gausite išdėstytą raštu. Jokių smurto pėdsakų, vargšelio mirties priežastis pati natūraliausia.

– Kokia gi?

– Kalbant paprastai, jam sprogo širdis, tiesiogine to žodžio prasme. Visi kiti organai veikė kuo puikiausiai. Išskyrus tą širdies vožtuvą. Nors ir bandyta jį pataisyti, deja, nesėkmingai.

– Ant kūno jokių žymių?

– Kokių?

– Nežinau, gal mėlynės ar dūriai.

– Jau sakiau: nieko. Nemanykite, kad aš vakar gimęs. Be to, paprašiau ir gavau leidimą, kad skrodimo metu dalyvautų ir mano kolega Kapuanas, velionio gydantis gydytojas.

– Norėjote apsisaugoti?

– Ką pasakėte?

– Atsiprašau, kvailystę. Ar jis dar kuo nors sirgo?

– Jūs ir vėl iš pradžių? Jis niekuo nesiskundė, gal tik aukštėlesniu spaudimu. Gydėsi šlapimą varančiais vaistais, išgerdavo po vieną tabletę ketvirtadieniais ir sekmadieniais, priešpiet.

– Taigi tą sekmadienį, kai mirė, buvo ją išgėręs.

– Na ir kas? Ką norite tuo pasakyti? Kad jam pakišo užnuodytą tabletę? Gal manote, kad vis dar gyvename Bordžijų laikais? O gal prisiskaitėte antrarūšių detektyvinių romanų? Jei jis būtų buvęs nunuodytas, aš tai būčiau pastebėjęs, tiesa?

– Jis buvo pavakarieniavęs?

– Ne.

– Ar galite pasakyti, kelintą valandą mirė?

– Šiuo savo klausimu jūs varote mane iš proto. Gal manote, kad gyvenimas – tai amerikietiškas filmas, kur policininkui nespėjus paklausti, kelintą valandą įvykdytas nusikaltimas, teismo medicinos ekspertas atsako, kad žudikas savo darbą baigė aštuonioliktą valandą trisdešimt dvi minutės, sekunde anksčiau ar vėliau, prieš trisdešimt šešias dienas. Juk ir pats matėte, kad lavonas dar nebuvo sustingęs, tiesa? Jautėte tą automobilyje tvyrojusį karštį, tiesa?

– Na ir kas?

– Tas, kad vargšelis mirė tarp devynioliktos ir dvidešimt antros valandos, išvakarėse tos dienos, kai buvo rastas.

– Tik tiek?

– Tik tiek. A, vos nepamiršau: inžinierius numirė dar spėjęs pasidulkinti. Ant apatinės kūno dalies aptikome spermos likučių.

– Pone komisare? Čia Montalbanas. Noriu pranešti, kad man ką tik skambino Paskuanas. Jis atliko skrodimą.

– Montalbanai, galite nevargti. Viską žinau, apie keturioliktą valandą man paskambino Jakomucis, jis dalyvavo darant skrodimą, ir informavo mane. Kaip gražu!

– Atleiskite, nesupratau.

– Man atrodo gražu, kad kažkas šitoje mūsų nuostabioje provincijoje nutaria mirti sava mirtimi, rodydamas kitiems gerą pavyzdį. Ką pasakysite? Dar pora tokių mirčių kaip pono inžinieriaus ir susilyginsime su likusia Italija. Ar jau kalbėjote su Lo Bjanku?

– Dar ne.

– Nedelsdamas jam paskambinkite. Pasakykite, kad iš mūsų pusės nėra jokių kliūčių. Šeima gali ruoštis laidotuvėms, kada tik pageidauja, aišku, jei teisėjas tam neprieštaraus. Klausykit, Montalbanai, šįryt užmiršau jums pasakyti, bet mano žmona išmoko naują nuostabų mėsos kukulių receptą. Ar šio penktadienio vakaras jums tiktų?

– Montalbanai? Kalba Lo Bjankas. Noriu jus informuoti. Iškart po pietų man paskambino daktaras Jakomucis.

„Prarastas talentas! – šmėkštelėjo Montalbanui. – Ankstesniais laikais Jakomucis būtų buvęs puikus šauklys, iš tų, kur vaikštinėdavo miesto gatvėmis mušdami būgną."

– Jis pranešė, kad skrodimas neparodė nieko naujo, – tęsė teisėjas, – todėl aš daviau leidimą laidoti. Jūs neprieštaraujate?

– Ne.

– Tuomet byla baigta?

– Ar galite man duoti dar dvi dienas?

Jis išgirdo, kaip pašnekovo galvoje suskambo nerimo varpeliai.

– Kodėl, kas atsitiko?

– Nieko, visiškai nieko.

– Viešpatie, tuomet kodėl? Komisare, prisipažinsiu, jums galiu tai pasakyti, kad ir aš, ir generalinis prokuroras, taip pat prefektas ir generalinis komisaras, visi mes buvome primygtinai skatinami užbaigti šią istoriją kaip galima greičiau. Čia nėra nieko neteisėto, o tik suprantamas šeimos ir partijos draugų prašymas, trokštančių, kad ši bjauri istorija kuo greičiau užsimirštų ir būtų užmiršta. Manau, visai pagrįstai.

– Pone teisėjau, suprantu jus. Man reikia tik dviejų dienų.

– Bet kodėl? Pasakykite priežastį!

Montalbanas jau buvo sugalvojęs atsakymą, būdą išsisukti. Juk negalėjo pasakyti, kad jo prašymas niekuo nepagrįstas, teisingiau, pagrįstas tik nuojauta, kad kažkas, gudresnis, jį apkvailino.

– Jei tikrai norite žinoti priežastį, darau tai dėl viešosios nuomonės. Nenorėčiau, kad kas nors paskleistų gandą, jog paskubėjome padėti bylą į archyvą nė negalvodami jos ištirti. Žinote, nedaug reikia, kad kam nors šautų į galvą tokia mintis.

– Jei taip, tuomet sutinku. Duodu jums keturiasdešimt aštuonias valandas. Ir nė minutės daugiau. Pasistenkite suprasti.

– Džedže? Drauguži, kaip laikaisi? Atleisk, kad pažadinau tave pusę septynių vakaro.

– Kad tau kur kiaušus sutrauktų!

– Džedže, ar dera taip kalbėti su policininku, juk tu prieš policiją negali nieko, kaip tik pridėti į kelnes. O jei jau užsiminei apie kiaušus, ar tiesa, kad dulkiniesi su negru, keturiasdešimties?

– Ko keturiasdešimties?

– Centimetrų ilgio vamzdžiu.

– Nekvailiok. Ko norėjai?

– Pasikalbėti.

– Kada?

– Šį vakarą, vėlai. Sakyk valandą.

– Tegul bus vidurnaktis.

– Kur?

– Kaip visada, Puntasekoje.

– Džedže, bučiuoju tavo saldžiąsias lūpytes.

– Ponas Montalbanas? Skambina prefektas Skuatritas. Teisėjas Lo Bjankas asmeniškai pranešė man, kad jūs paprašėte dar dvidešimt keturių valandų, o gal keturiasdešimt aštuonių, gerai neatsimenu, vargšo inžinieriaus bylai užbaigti. Ponas Jakomucis kaip visada malonėjo informuoti mane apie bylos eigą, pranešdamas, jog skrodimas nedviprasmiškai patvirtino, kad Luparelas mirė natūralia mirtimi. Man nė minutei nešovė mintis, netgi minties šešėlis, kad jūsų prašymas galėtų būti be jokio pagrindo, tačiau noriu jūsų paklausti: kodėl?

– Pone prefekte, kaip jau sakiau ponui teisėjui Lo Bjankui ir mielai jums pakartosiu, prašydamas to siekiau skaidrumo, kad bet kokios piktavalių kalbos apie galimą policijos ketinimą nesigilinant į įvykių esmę baigti bylą neturint tam svarių argumentų būtų užčiauptos dar nepradėtos. Tik tiek.

Toks atsakymas prefektą visiškai patenkino, juo labiau kad Montalbanas pasirūpino panaudoti du veiksmažodžius (nesigilinti ir pakartoti) ir vieną daiktavardį (skaidrumas), tvirtai įaugusius į prefekto žodyną.

– Čia Ana, atleisk, jei sutrukdžiau.
– Kodėl taip kalbi? Peršalai?
– Ne, skambinu iš darbo, nenoriu, kad mane kas išgirstų.
– Sakyk.
– Jakomucis paskambino mano šefui ir pranešė, kad tu nenori baigti Luparelo bylos. Mano šefas pasakė, kad esi kvailys, ir aš su juo visiškai sutinku, ką, beje, prieš keletą valandų turėjau progos tau pasakyti.
– Dėl to man paskambinai? Ačiū už patvirtinimą.
– Komisare, noriu tau pasakyti vieną dalyką, kurį sužinojau, vos tik išsiskyrėme, kai grįžau į darbą.
– Ana, aš ir taip įklimpęs iki ausų. Rytoj.
– Tai skubu. Tave tikrai sudomins.
– Klausyk, šiąnakt būsiu užimtas iki pirmos, gal pusės dviejų. Jei gali, atvažiuok dabar.
– Dabar negaliu. Atvažiuosiu pas tave į namus antrą.
– Šiąnakt?
– Taip, o jei tavęs nebus – palauksiu.

– Mylimasai, čia tu? Livija. Atsiprašau, kad skambinu tau į darbą, bet...
– Gali man skambinti kada nori ir kur nori. Kas atsitiko?
– Nieko svarbaus. Tiesiog ką tik perskaičiau laikraštyje, kad

mirė kažkoks tavo krašto politinis veikėjas. Tik trumpa žinutė kursyvu, ten parašyta, kad komisaras Salvas Montalbanas kruopščiai tiria mirties priežastis.

– Na ir kas?

– Ar dėl tos mirties turėsi rūpesčių?

– Nedaug.

– Tuomet niekas nesikeičia? Kitą šeštadienį atvažiuosi manęs aplankyti? Neiškrėsi nemalonios staigmenos?

– Kokios?

– Skambutis, pranešantis, kad tyrimas atskleidė naujus faktus, todėl man teks tavęs laukti nežinia kiek ir geriau viską savaitei atidėti. Taip jau yra buvę, ir ne kartą.

– Nesijaudink, šį kartą man pavyks.

– Ponas Montalbanas? Skambina tėvas Arkandželas Baldovinas, jo ekscelencijos vyskupo sekretorius.

– Malonu. Klausau jūsų, tėve.

– Vyskupą pasiekė žinia – reikia pripažinti, gerokai jį nustebinusi – kad jūs laikote reikalingu tęsti tyrimą dėl skausmingos ir netikėtos inžinieriaus Luparelo mirties. Ar tai tiesa?

Taip, tiesa, patvirtino Montalbanas ir trečią kartą paaiškino tokio savo poelgio priežastis. Tėvas Baldovinas, atrodo, buvo įtikintas, tačiau meldė komisarą paskubėti „siekiant išvengti niekingų spekuliacijų ir apsaugoti skausmo prislėgtą šeimą nuo dar didesnių kančių".

– Komisaras Montalbanas? Kalba inžinierius Luparelas.

– Po šimts, tu gyvas?!

Montalbanas jau norėjo ištarti šiuos žodžius, laimė, laiku prikando liežuvį.

– Esu velionio sūnus, – tęsė mandagus, išsilavinęs balsas, be menkiausios dialekto gaidelės, – Stefanas. Norėčiau perduoti prašymą, kuris galbūt jums pasirodys keistas. Skambinu mamos vardu.

– Jei tik galėsiu jai padėti.

– Mama norėtų su jumis susitikti.

– Pone inžinieriau, leiskite paklausti, kodėl šį prašymą vadinate keistu? Aš ir pats artimiausiu metu ketinau prašyti ponios mane priimti.

– Komisare, mama norėtų su jumis susitikti vėliausiai rytoj.

– Viešpatie, inžinieriau, patikėkite, šiomis dienomis neturiu nė vienos laisvos valandėlės. Manau, jūs irgi.

– Dešimt minučių visada galima rasti. Ar tiktų rytoj po pietų, lygiai septynioliktą?

– Montalbanai, žinau, kad priverčiau tave laukti, bet buvau...

– ... išvietėje, savo karalystėje.

– Liaukis, kodėl skambini?

– Skubu pranešti labai svarbų dalyką. Man ką tik iš Vatikano paskambino popiežius, jis ant tavęs tiesiog įsiutęs!

– Ką čia tauški?!

– Taip, taip, nes jis yra vienintelis žmogus visame pasaulyje, negavęs tavo ataskaitos apie Luparelo skrodimo rezultatus. Todėl pasijuto apleistas ir, kaip supratau, ruošiasi tave ekskomunikuoti. Tau galas.

– Montalbanai, tu visai išprotėjai.

– Ar gali patenkinti mano smalsumą?

– Klausk.

– Laižyti kitų užpakalius tavo prigimtis ar pašaukimas?

Atsakymas buvo stulbinančiai nuoširdus.

– Manau, prigimtis.

– Ar jau baigėte tirti inžinieriaus drabužius? Nieko neaptikote?

– Aptikome tai, ko tam tikra prasme ir tikėjomės. Spermos pėdsakus ant kelnaičių ir kelnių.

– O automobilyje?

– Dar nebaigėme tirti.

– Ačiū. Gali grįžti kakoti.

– Komisare? Skambinu iš taksofono pagrindiniame kelyje, netoli senosios gamyklos. Padariau, ko prašėte.

– Sakyk, Facijau.

– Jūs buvote visiškai teisus. Luparelo BMW atvažiavo iš Montelūzos, o ne iš Vigatos.

– Esi tuo tikras?

– Nuo Vigatos pusės paplūdimys užverstas betono blokais, ten nepravažiuosi, nebent skristum.

– Ar jau žinai, kuriuo keliu jis galėjo atvažiuoti?

– Taip, bet tai beprotybė.

– Paaiškink, kodėl?

– Todėl, kad nors iš Montelūzos į Vigatą veda dešimtys kelių ir takelių, kuriais galėtum atvažiuoti nepastebėtas, inžinieriaus mašina į avių aptvarą atriedėjo Kaneto upės senvage.

– Kaneto senvage? Ji nepravažiuojama!

– Aš ja pravažiavau, taigi ir kas nors kitas galėjo tai padaryti. Ji visiškai sausa. Bet sudaužiau savo mašinos pakabas. O kadangi neleidote imti tarnybinio automobilio, man reikės...

– Aš užmokėsiu už remontą. Kas dar?

– Ties išvažiavimu iš Kaneto senvagės, paplūdimio smėlyje, BMW ratai paliko pėdsaką. Jei iškart pranešume Jakomuciui, galėtume nukopijuoti padangų raštą.

– Velniop Jakomucį.

– Kaip įsakysite. Ką dar padaryti?

– Nieko, Facijau, grįžk. Ačiū.

Penki

Puntasekos paplūdimys, smėlio ruožas balto mergelio kalvos papėdėje, tą valandą buvo visiškai tuščias. Džedžė jau laukė atvykstančio komisaro, rūkė atsirėmęs į savo automobilį.

– Išlipk, Salvai, – tarė Montalbanui, – pasimėgaukime puikiu oru.

Kiek pastovėjo tylėdami, traukdami dūmą. Paskui Džedžė numetė nuorūką ir prakalbo.

– Salvai, žinau, ko nori manęs paklausti. Ir esu pasiruošęs atsakyti, klausk iš visų galų.

Abu nusišypsojo užplūdus prisiminimams. Jie susipažino privačioje mokyklėlėje dar prieš pradinę mokyklą, o jų mokytoja buvo panelė Marijana, Džedžės sesuo, penkiolika metų už jį vyresnė. Salvas ir Džedžė buvo tinginiai, pamokas iškaldavo mintinai, nieko nesuprasdami, o paskui lyg papūgos jas pakartodavo. Bet mokytoja Marijana nepasitenkindavo tomis litanijomis ir imdavo klausinėti iš visų galų, nesilaikydama sekos. Tuomet jau būdavo riesta, pamoką turėjai suprasti, perprasti jos loginius ryšius.

– Kaip tavo sesuo? – paklausė komisaras.

– Nuvežiau ją į Barseloną, į akių kliniką. Atrodo, ten daro stebuklus. Man sakė, kad nors dešinę akį iš dalies pavyks išgelbėti.

34

– Kai susitiksi, pasveikink ją nuo manęs.

– Būtinai. Kaip sakiau, aš pasiruošęs. Gali užversti klausimais.

– Kiek tavo žmonių dirba avių aptvare?

– Dvidešimt aštuonios kekšytės ir vaikinai. Dar Filipas di Kosmas ir Manuelis Čiulpikas, jie žiūri tvarkos, pats supranti, menkiausia klaida, ir man galas.

– Taigi nesnaudi.

– Pats žinai, kuo man kvepia, jei kiltų kokios peštynės, pjautynės ar kas perdozuotų.

– Vis dar laikaisi lengvų narkotikų?

– Taip. Žolė, kartais kokainas. Paklausk šlavėjų, ar rytais randa nors vieną švirkštą, paklausk jų.

– Tikiu.

– Džiambalvas, dorovės sergėtojų vadas, tik ir žiūri, kaip mane pričiupti. Sako, kad pakęs mane tol, kol nekelsiu jam rūpesčių ir netrikdysiu jo ramybės.

– Suprantu Džiambalvą: jis nerimauja, kad tavęs nepriverstų uždaryti avių aptvaro, tuomet prarastų savo įplaukas. Ką jam moki, mėnesinį atlyginimą ar nustatytą procentą? Kiek jam moki?

Džedžė nusišypsojo.

– Pasiprašyk pervedamas į dorovės policiją ir sužinosi. Man būtų malonu padėti tokiam vargšui kaip tu, kuris gyvena vien iš atlyginimo ir vaikšto sulopytu užpakaliu.

– Ačiū už gerą žodį. O dabar klok apie tą naktį.

– Taigi buvo gal dešimta, gal pusė vienuoliktos, kai Mili, kuri čia dirbo, pamatė iš Montelūzos pusės pajūriu avių aptvaro link artėjančio automobilio šviesas. Ji išsigando.

– Kas toji Mili?

– Jos vardas Džiuzepina La Volpe, gimusi Mistretoje, trisdešimtmetė. Guvi moteriškė.

Iš kišenės jis ištraukė į keturias dalis sulenktą lapą ir ištiesė Montalbanui.

– Čia surašiau tikrus vardus ir pavardes. Taip pat adresus, jei norėtum susitikti.

– Kodėl sakai, kad Mili išsigando?

– Todėl, kad iš tos pusės automobilis negalėjo atvažiuoti, nebent leistųsi Kaneto senvage, kur nesunku sudaužyti mašiną ir nusisukti sprandą. Iš pradžių pagalvojo, kad tai Džiambalvas sumanė neįspėjęs surengti gaudynes. Paskui sumąstė, jog dorovės sergėtojai nerengtų gaudynių vienu automobiliu. Tada dar labiau išsigando, pamaniusi, kad gal čia tie iš Monteroso, kurie man paskelbė karą, norėdami atimti avių aptvarą. Pabūgusi galimo susišaudymo, pasiruošusi bėgti, įsistebeilijo į automobilį, jos klientas pradėjo protestuoti, tačiau ji spėjo pastebėti, kaip mašina apsisuko ir nuvažiavo prie gretimų krūmų, o paskui sustojo pusiau į juos įvažiavusi.

– Džedže, kol kas nieko naujo nesužinojau.

– Su Mili dulkinęsis vyras išleido ją iš mašinos ir atbulas pasuko keliuku greitkelio link. Mili vaikštinėjo, laukdama kito kliento. Į tą pačią vietą, kur ką tik stovėjo jos kliento mašina, atvažiavo Karmen su savo gerbėju, kuris kiekvieną šeštadienį ir sekmadienį atvažiuoja jos aplankyti, visada tuo pačiu metu, ir užtrunka valandų valandas. Tikrasis Karmen vardas užrašytas lape, kurį tau daviau.

– Ir adresas?

– Taip. Kol klientas išjungė žibintus, Karmen spėjo pamatyti, kad tuodu iš BMW jau darbuojasi.

– Ar ji tau pasakė, ką tiksliai matė?

– Taip, tai tetruko kelias sekundes, bet ji pamatė. Gal todėl, kad automobilis padarė jai įspūdį, tokie į avių aptvarą neužsuka. Taigi moteris sėdėjo vairuotojo pusėje, taip, vos nepamiršau, Mili sakė, kad vairavo moteris, paskui pasisuko, atsisėdo greta buvusiam vyrui ant kelių, pasidarbavo rankomis apačioje, tačiau to ji negalėjo gerai įžiūrėti, o paskui pradėjo judėti aukštyn žemyn. Gal jau užmiršai, kaip dulkinamasi?

– Nemanau. Bet galime pabandyti. Kai baigsi pasakoti tai, ką norėjai, nusileisk kelnes, padėk savo gražiąsias rankeles ant kapoto ir išriesk užpakalį. Jei būsiu ką pamiršęs, priminsi. Pasakok, negaišink laiko.

– Kai baigė, moteris atsidarė dureles, išlipo, pasitaisė sijoną ir uždarė dureles. Vyras neįjungė variklio ir nenuvažiavo, o liko sėdėti, atlošęs galvą. Moteris praėjo pro mašiną, kurioje darbavosi Karmen ir kaip tik tą akimirką ją apšvietė kito automobilio žibintai. Ji buvo graži, šviesiaplaukė, elegantiška. Kairėje rankoje laikė maišelio formos rankinuką. Pasuko senosios gamyklos link.

– Viskas?

– Ne. Tą naktį budėjo Manuelis, jis matė ją išeinant iš avių aptvaro ir pasukant pagrindinio kelio link. Kadangi jos drabužiai nepriminė avių aptvaro paukštyčių parėdų, tai nulydėjo ją žvilgsniu, bet netrukus sustojo automobilis ir ji įsėdo.

– Palauk, Džedže. Ar Manuelis matė, kaip ji stovėjo šalikelėje pakėlusi nykštį, laukdama, kad kas nors ją įsisodintų?

– Salvai, kaip tau pavyksta? Tu faras iš prigimties.

– Kodėl?

– Todėl, kad kaip tik čia Manuelis ir suabejojo. Kitaip tariant, jis nematė, kad ji būtų kėlusi ranką, bet mašina sustojo. Negana to, Manueliui pasirodė, kad kai atlėkęs automobilis sustojo ją įsodinti, jo durelės jau buvo praviros. Manuelis neįsidėmėjo numerių, nepagalvojo, kad reikėtų.

– Taigi. O ką gali pasakyti apie BMW sėdėjusį vyrą, Luparelą?

– Beveik nieko. Jis buvo su akiniais, švarko taip ir nenusivilko, nors dulkinosi ir buvo labai karšta. Tačiau vienoje vietoje Mili pasakojimas nesutampa su Karmen pasakojimu. Mili sako, kad automobiliui atvažiavus, vyras ant kaklo turėjo kaklaryšį arba juodą skarelę, o Karmen tvirtina, kad kai ji pamatė tą vyrą, jis buvo tik su prasagstytais marškiniais. Man tai neatrodo reikšminga, inžinierius galėjo nusirišti kaklaryšį besidulkindamas, gal jis jam trukdė.

– Kaklaryšį nusirišo, o švarko nenusivilko? Nesakyčiau, kad tai nereikšminga, Džedže, nes automobilyje neradome nei kaklaryšio, nei skarelės.

– Na ir kas, gal moteriškei išlipant iš mašinos jis iškrito ant smėlio.

– Jakomucio vyrai grėbliais iššukavo visą smėlį ir nieko nerado. Stovėjo tylėdami, susimąstę.

– Galbūt galima paaiškinti tai, ką matė Mili, – staiga tarė Džedžė. – Ne kaklaryšį ir ne skarelę, o saugos diržą, juk jie atvažiavo Kaneto senvage, per akmenis. Jis jį atsisegė, kai moteris atsisėdo ant kelių – diržas tikrai galėjo jam trukdyti.

– Galbūt.

– Salvai, papasakojau viską, ką apie šią istoriją man pavyko sužinoti. Ir darau tai savo paties labui. Nes man visai neparanku, kad toks garsenybė kaip Luparelas staiga nusibaigia mano valdose. Dabar į jas susmigę visų žvilgsniai, ir kuo greičiau tu baigsi tyrimą, tuo bus geriau. Po poros dienų viskas užsimirš ir visi vėl galėsime ramiai dirbti. Ar jau galiu eiti? Tokiu laiku avių aptvare pats karštymetis.

– Palauk. Ką apie visą tai galvoji?

– Aš? Juk faras esi tu. Bet kad tave pamaloninčiau, pasakysiu, jog tas reikalas man smirda. Tarkim, toji moteris buvo kekšė iš kito miesto, kokia nors svetimšalė. Tačiau niekas manęs neįtikins, kad Luparelas neturėjo kur ją nusivežti.

– Džedže, ar žinai, kas yra iškrypimas?

– Manęs klausi? Galėčiau tau tokių papasakoti, kad apvemtum mano batus. Supratau, galvoji, kad tiedu atvažiavo į avių aptvarą tikėdamiesi labiau susijaudinti. Kartais taip atsitinka. Ar žinai, kad vieną naktį buvo atvažiavęs teisėjas su savo apsauginiais?

– Tikrai? Kuris?

– Teisėjas Kozentinas, tau galiu pasakyti. Naktį prieš tai, kai jį spirte išspyrė lauk iš jo kėdės, jis atvažiavo į avių aptvarą su visa apsauga, išsirinko transvestitą ir jį išdulkino.

– O apsauga?

– Ilgai vaikštinėjo pajūriu. Grįžtant prie mūsų pokalbio: Kozentinas žinojo, kad jam galas ir nutarė patenkinti savo užgaidą. Tačiau kokį interesą galėjo turėti inžinierius? Tokie dalykai jo nedomino. Tiesa, visi žino, jis mėgo moteris, bet elgdavosi apdairiai, nesireklamuodamas. Pasidulkinimo su kokia moterimi vardan jis būtų rizikavęs prarasti viską, kuo buvo ir ko pasiekė? Salvai, aš tuo niekada nepatikėsiu.

– Kalbėk.

– Dar blogiau pagalvojus, jei toji moteris nebuvo kekšė. Tokiu atveju jie niekada nebūtų atvažiavę į avių aptvarą. Ir dar: mašiną vairavo moteris, dėl to nėra abejonių. Jau nekalbant, kad kekšei niekas neduotų vairuoti tokio vertingo automobilio, toji moteriškė turėjo būti tikra pabaisa. Pirma, be vargo nusileidžia Kaneto senvage, paskui, kai inžinierius tarp jos šlaunų išleidžia kvapą, kuo ramiausiai atsikelia, išlipa iš mašinos, susitvarko, užtrenkia dureles ir nueina. Tau tai atrodo normalu?

– Man tai atrodo nenormalu.

Džedžė nusijuokė ir užžiebė žiebtuvėlį.

– Ko juokiesi?

– Eikš, vaikine. Prikišk savo veidelį.

Komisaras pakluso, ir Džedžė pašvietė jam į akis. Paskui užpūtė žiebtuvėlį.

– Supratau. Tu, teisėtvarkos atstovas, pagalvojai tą patį, ką ir aš, žmogus iš nusikaltėlių pasaulio. Ir norėjai tik pasitikrinti, ar mūsų mintys sutampa, tiesa?

– Taip, įsitikinti.

– Aš tave kiaurai permatau. Lik sveikas, važiuok.

– Ačiū, – tarė Montalbanas.

Komisaras išvažiavo pirmas, bet netrukus draugas jį pasivijo, ženklais rodydamas, kad sulėtintų.

– Ko tau?

– Mano atmintis visai sušlubavo, iš pat pradžių norėjau tau pasakyti. Žinai, puikiai atrodei šiandien po pietų vaikštinėdamas po avių aptvarą, už parankės su inspektore Ferara.

Ir paspaudė greičio pedalą, nutoldamas nuo komisaro automobilio per saugų atstumą, paskui pakėlė ranką atsisveikindamas.

Grįžęs namo, užsirašė kelias iš Džedžės išgirstas smulkmenas ir pasijuto mieguistas. Pažvelgė į laikrodį, jau buvo po pirmos, ir atsigulė. Pabudo nuo įkyraus skambučio į lauko duris, akimis susirado žadintuvą, jis rodė ketvirtį po dviejų. Sunkai pakilo, pažadintas iš pirmojo miego visada būdavo sulėtintos reakcijos.

– Kas ten, po perkūnais, tokiu metu?

Su trumpikėmis, kaip stovi, nuėjo atidaryti durų.

– Sveikas, – tarė Ana.

Jam buvo visai išgaravę iš galvos, juk mergina sakė, kad ateis pas jį apie antrą. Ana nenuleido nuo jo akių.

– Matau, apranga tinkama, – tarė įeidama.

– Sakyk, ką norėjai pasakyti, ir bėk namo, aš mirtinai pavargęs.

Toks įsibrovimas vidury nakties suerzino Montalbaną, nuėjęs į miegamąjį jis užsitraukė kelnes, apsivilko marškinius ir grįžo į valgomąjį. Anos ten nebebuvo, ji stovėjo virtuvėje, jau panaršiusi po šaldytuvą, ir kando sumuštinį su kumpiu.

– Mirštu badu.

– Valgyk ir kalbėk.

Montalbanas pastatė ant viryklės kavinuką.

– Virsiesi kavą? Dabar? Kaip paskui užmigsi?

– Ana, prašau, – jam sunkiai sekėsi elgtis mandagiai.

– Na, gerai. Vakar po pietų, kai išsiskyrėme, sužinojau iš vieno kolegos, jam pranešė informatorius, kad vakar, tai yra antradienio rytą, toks tipas aplankė visus juvelyrus, supirkėjus ir lombardus, legalius ir nelegalius, įspėdamas: jei kas nors atneštų parduoti ar užstatyti tokį vieną papuošalą, privalo jam pranešti. Tai pakabukas, ant storos auksinės grandinės, širdelės formos, su inkrustuotais deimantais. Prekybos centre tokių gali nusipirkti po dešimt tūkstančių lirų, bet šis yra tikro aukso ir deimantų.

– O kaip jie jam turi pranešti, paskambinti?

– Nejuokauk. Kiekvienam liepė duoti vis kitokį ženklą, na, vienas turi iškabinti lange žalią audeklą, kitas – užkišti už durų laikraštį ir panašiai. Gudrutis, taip jis galės matyti, pats likdamas nematomas.

– Sutinku, bet man...

– Leisk pabaigti. Iš to, kaip jis klausinėjo ir elgėsi, žmonės, pas kuriuos buvo atėjęs, suprato, kad verčiau daryti, kaip liepia. Paskui sužinojome, kad tą pačią dieną kiti žmonės lygiai taip pat apėjo visus provincijos miestelius, neišskiriant Vigatos. Taigi tas, kas pametė tą papuošalą, būtinai nori jį susigrąžinti.

– Nematau nieko bloga. Bet kodėl pagalvojai, kad man tai turėtų būti įdomu?

– Nes vienam aukso supirkėjui Montelūzoje tas tipas pasakė, kad pakabukas gali būti pamestas avių aptvare, naktį iš sekmadienio į pirmadienį. Ar dabar susidomėjai?

– Šiek tiek.

– Žinau, tai gali būti tik atsitiktinumas, visai nesusijęs su Luparelo mirtimi.

– Šiaip ar taip, ačiū. Dabar grįžk namo, jau vėlu.

Kava išvirė ir Montalbanas prisipylė puodelį, o Ana nusprendė pasinaudoti proga.

– Manęs nepavaišinsi?

Komisaras kantriai pripylė antrą puodelį ir ištiesė jai. Ana jam patiko, bet kaip ji nesupranta, kad jis priklauso kitai moteriai?

– Ne, – staiga ištarė Ana, liaudamasi gerti.

– Kas ne?

– Nenoriu grįžti namo. Ar tikrai negaliu šiąnakt likti čia, pas tave?

– Ne, negali.

– Bet kodėl?!

– Nes esu tavo tėvo draugas, nenorėčiau jo skaudinti.

– Nesąmonė!

– Tegul bus nesąmonė, bet taip yra. Be to, užmiršai, kad esu rimtai įsimylėjęs kitą moterį.

– Kurios čia nėra.

– Nėra, bet tarsi būtų. Nebūk kvaila ir nekalbėk kvailysčių. Ana, tau nepasisekė, aš sąžiningas žmogus. Apgailestauju. Atleisk.

Jam niekaip nesisekė užmigti. Ana sakė tiesą, kava vertė būdrauti. Erzino ir dar vienas dalykas: jei tas papuošalas pamestas avių aptvare, nėra abejonės, kad apie jį žinojo ir Džedžė. Tačiau jis neužsiminė nė puse žodžio, ir tikrai ne todėl, kad tai būtų menkniekis.

Šeši

Pusę šeštos ryto, praleidęs bemiegę naktį, Montalbanas jau turėjo veiksmų planą, kaip priversti Džedžę sumokėti už nutylėtą žinią apie pamestą papuošalą ir pasišaipymą iš jo apsilankymo avių aptvare. Ilgai maudėsi po dušu, išgėrė tris puodelius kavos, paskui sėdo į mašiną. Atvažiavęs į Rabatą, seniausią Montelūzos rajoną, kurį prieš trisdešimt metų apgriovė kalno nuošliauža, o dabar šiaip taip sutvarkytose griuvenose, sutrūkinėjusiuose, palaikiuose namuose gyveno nelegaliai atvykę tunisiečiai ir marokiečiai, siauromis vingiuotomis gatvelėmis pasuko į Švento Kryžiaus aikštę: bažnyčia nepaliesta stovėjo tarp griuvėsių. Iš kišenės išsitraukė iš Džedžės gautą lapą: Karmen, kurios tikras vardas buvo Fatma ben Galud, tunisietė, gyveno keturiasdešimt aštuntuoju numeriu pažymėtame name. Palaikė lūšna, kambarėlis pirmajame aukšte, medinėse lauko duryse išpjautas langelis orui įeiti. Jis pasibeldė, bet niekas neatsakė. Pasibeldė stipriau ir šį kartą pasigirdo apsnūdęs moteriškas balsas:
– Kas?
– Policija, – atsakė Montalbanas. Nutarė smogti iš visų jėgų, kol ji dar neatsipeikėjo netikėtai pakelta iš lovos. Fatma, naktį dirbusi su klientais, turbūt miegojo dar mažiau už jį. Durys atsidarė, tapduryje pasirodžiusi moteris buvo susisiautusi į didelį rankšluostį, kurį viena ranka prilaikė ties krūtine.

– Ko nori?

– Pasikalbėti.

Ji pasitraukė į šalį. Kambaryje stovėjo plati lova, pusė jos buvo sujaukta, mažas staliukas, dvi kėdės, dujinė viryklėlė. Praustuvą ir unitazą nuo likusios kambario dalies skyrė plastikinė užuolaida. Viskas spindėjo švara. Tačiau jos kūno ir pigių kvepalų aromato prisotintas kambario oras gniaužė kvapą.

– Parodyk leidimą gyventi.

Lyg išsigandusi moteris paleido rankšluostį, užsidengdama veidą delnais. Ilgos kojos, siauras liemuo, plokščias pilvas, stangrios didelės krūtys – tikra moteris, kokias rodo televizijos reklamose. Po akimirkos Montalbanas suprato, kad tokia laukimo povyza reiškė ne baimę, o bandymą siekti paties natūraliausio ir praktiškiausio susitarimo tarp vyro ir moters.

– Apsirenk.

Fatma pasuko į tą kambario pusę, kur nuo vieno kampo iki kito buvo ištempta viela. Platūs pečiai, tobula nugara, maži apvalūs sėdmenys.

„Su tokiu kūnu ji neabejotinai įveikė visas biurokratines kliūtis", – pagalvojo Montalbanas.

Ir įsivaizdavo eiles už tam tikrų kabinetų durų, kuriuose Fatma darbavosi siekdama „valdžios institucijų pakantumo", apie kokį kartais tekdavo skaityti laikraščiuose, palaido gyvenimo toleravimo prasme. Tiesiog ant nuogo kūno Fatma užsitraukė plonos medvilnės suknią ir vėl sugrįžo prie Montalbano.

– Na, kur dokumentai?

Moteris papurtė galvą. Ir tyliai pravirko.

– Nebijok, – tarė komisaras.

– Aš nebijau. Man labai nesisekti.

– Kodėl?

– Todėl, kad jei tu palaukti kelias dienas, aš čia nebebūti.

– Kur ruošeisi važiuoti?

– Vienas ponas iš Felos mane mylėti, aš jam patikti, sekmadienį pasakė mane vesti. Aš juo tikėti.

– Tas, kuris pas tave atvažiuoja kiekvieną šeštadienį ir sekmadienį?

Fatma išpūtė akis.

– Iš kur tu žinoti?

Ir vėl prapliupo verkti.

– Bet dabar viskas baigta.

– Sakyk, Džedžė leidžia tau išvažiuoti su tuo ponu iš Felos?

– Ponas kalbėjo su ponu Džedže, ponas mokėti.

– Fatma, klausyk, ir toliau elkis taip, lyg manęs čia nebūtų buvę. Noriu tau užduoti tik vieną klausimą, ir jei nuoširdžiai man atsakysi, aš apsisuksiu ir išeisiu, o tu galėsi toliau miegoti.

– Ką nori žinoti?

– Kas nors tavęs klausė, ar avių aptvare nieko neradai?

Moters akys nušvito.

– O, taip! Atėjo ponas Filipas, jis pono Džedžės žmogus, visoms mums pasakė, jei radome auksinį širdies formos pakabuką su deimantais – iškart jam atiduoti. Jei dar neradome, ieškoti.

– Nežinai, ar kas nors jį rado?

– Ne. Šiąnakt vėl visos ieškoti.

– Ačiū, – tarė Montalbanas, eidamas durų link. Tarpduryje stabtelėjo ir pasisuko į Fatmą.

– Sveikinu.

Taigi Džedžė buvo suvystytas, Montalbanas vis tiek sužinojo tai, ką jis taip kruopščiai stengėsi nutylėti. Ir padarė logišką išvadą iš to, ką jam ką tik pasakė Fatma.

Į komisariatą atvažiavo taip anksti, kad budintis policininkas pažvelgė į jį sunerimęs.

– Komisare, kas nors atsitiko?

– Nieko, – nuramino. – Anksti atsibudau.

Buvo jau nusipirkęs du saloje leidžiamus dienraščius ir įniko juos skaityti. Pirmajame buvo detaliai aprašytos rytojaus dieną numatytos iškilmingos inžinieriaus Luparelo laidotuvės. Jos turėjo įvykti Katedroje, gedulingas pamaldas laikys pats vyskupas. Tikintis nemažo būrio aukščiausių valdžios atstovų, atvyksiančių pareikšti paskutinės pagarbos velioniui ir užuojautos jo artimiesiems, bus imtasi visų saugumo priemonių. Tame būryje bus du ministrai, keturi viceministrai, aštuoniolika deputatų ir senatorių, pulkas deputatų į vietos valdžios institucijas. Todėl tvarkos žiūrės policininkai, karabinieriai, finansų policija, savivaldybių policija, jau neminint asmens ir kitokių sargybinių, apie kuriuos laikraštis nieko nerašė, nors ir jie buvo susiję su viešąja tvarka, tik stovėjo kitoje barikadų pusėje, ne toje, kur glaudėsi teisėtvarkos pareigūnai. Antrasis dienraštis pakartojo tas pačias naujienas, pridurdamas, kad velionis pašarvotas Luparelų namuose ir nenutrūkstama žmonių vora plaukia pareikšti savo padėkos už viską, ką velionis, aišku, dar būdamas gyvas, jiems buvo padaręs, greit ir nesavanaudiškai.

Paskui atvažiavo kapralas Facijus, su juo Montalbanas ilgai aptarinėjo kitų tyrimų eigą. Iš Montelūzos niekas neskambino. Atėjo vidurdienis, komisaras atsivertė aplanką su šlavėjų parodymais apie rastą lavoną, nusirašė jų adresus, atsisveikino su kapralu ir policininkais, pasakęs, kad po pietų dar pasirodys.

Jei Džedžės berniukai klausinėjo kekšių apie papuošalą, nėra jokios abejonės, kad jie kalbėjosi ir su šlavėjais.

Graveto skersgatvis dvidešimt aštuoni, trijų aukštų namas, laiptinės durys su telefonspyne. Atsiliepė pagyvenusios moters balsas.

– Aš Pino draugas.

– Mano sūnaus nėra.

– Ar jis dar darbe, „Splendor" bendrovėje?

– Ne, ten jau baigė, dabar dirba kitur.

– Ponia, ar galėtumėt mane įleisti? Norėčiau palikti jam voką. Kelintas aukštas?

– Paskutinis.

Orus skurdas, du kambariai, virtuvėlė, tualetas. Visas išplanavimas matyti vos įžengus pro duris. Kukliai apsirengusi penkiasdešimtmetė moteris rodė jam kelią.

– Prašau čia, į Pino kambarį.

Kambarėlis prikimštas knygų ir žurnalų, po langu popieriaus lapais nuklotas staliukas.

– O kur Pinas?

– Išvažiavo į Rakaldį, repetuoja spektaklyje pagal Martoljo pjesę apie šv. Joną, kuriam nukirto galvą. Mano sūnui patinka teatras.

Montalbanas žvilgtelėjo į staliuką, Pinas, matyt, perrašinėjo kažkokią pjesę, popieriaus lapas buvo išmargintas replikomis. Perskaičius vieną iš parašytų vardų komisarą lyg žaibu trenkė.

– Ponia, ar galėčiau paprašyti vandens?

Kai tik moteris išėjo iš kambario, jis perlenkė lapą ir įsikišo į kišenę.

– Nepamirškite palikti voką, – priminė moteriškė, sugrįžusi su stikline vandens.

Montalbanas suvaidino tobulą pantomimą, kuri neabejotinai būtų sužavėjusi Piną, jei tik jis būtų ją matęs: apieškojo kelnių kišenes, paskui išnaršė švarko kišenes, nutaisė nustebusį veidą ir pagaliau pliaukštelėjo delnu sau per kaktą.

– Kvailys! Palikau voką darbe! Ponia, užtruksiu tik penkias minutes, bėgu jį paimti ir tuoj sugrįšiu.

Atsisėdęs į mašiną išsitraukė pasivogtąjį lapą ir perskaitęs jį gerokai paniuro. Uždvedė variklį, pajudėjo. Linkolno gatvė, 102. Savo parodymuose Saras nurodė net buto numerį. Komisaras iš akies paskaičiavo, kad matininkas šlavėjas turėtų gyventi šeštajame aukšte. Laiptinės durys buvo neužrakintos, liftas sugedęs. Pėsčiomis užlipo šešis aukštus ir patenkintas pamatė paskaičiavęs teisingai – spindinčioje lentelėje perskaitė: MONTEPARTAS BALDASARAS. Duris atidarė jauna, smulki moteriškė su kūdikiu ant rankų ir nerimu akyse.

– Saras namie?

– Jis išėjo į vaistinę pirkti vaistų mūsų sūnui, bet greit grįš.

– Ar vaikas serga?

Neatsakydama moteris kiek atitraukė ranką, kad pats galėtų pamatyti: vaikas atrodė gerokai pasiligojęs: pageltęs veidas, įdubę skruostai, didelės, piktos, nevaikiškos akys. Montalbanui jo pagailo, jis nepakentė niekuo dėtų mažylių skausmo.

– Kas jam?

– Daktarai negali paaiškinti. O jūs kas būsite?

– Mano vardas Virducas, esu įmonės „Splendor" sąskaitininkas.

– Užeikite.

Atrodė, moteris kiek nurimo. Bute netvarka, akivaizdu, kad Saro žmonai reikėjo nuolat būti prie mažylio ir nelikdavo laiko tvarkytis.

– Kodėl ieškote Saro?

– Atrodo, būsiu apsirikęs išmokėdamas jam algą, norėčiau pamatyti paskutinio mėnesio atlyginimo lapelį.

– Jei tik tiek, – tarė moteris, – nereikia laukti Saro. Pati jį jums parodysiu. Eime.

Montalbanas nusekė paskui, jau turėjo sugalvojęs kitą dingstį, kad užtruktų iki sugrįž vyras. Miegamajame tvyrojo slogus kvapas, lyg sugižusio pieno. Moteris pabandė ištraukti viršutinį spintelės stalčių, nesėkmingai, nes dirbti galėjo tik viena ranka, kita laikė kūdikį.

– Leiskite, aš padėsiu, – tarė Montalbanas.

Moteris pasitraukė, komisaras ištraukė stalčių, jis buvo pilnas popierių, sąskaitų, vaistų receptų, kvitų.

– Kur guli atlyginimo lapeliai?

Tą akimirką į miegamąjį įėjo Saras, jie negirdėjo, kaip jis sugrįžo, buto durys taip ir liko pravirios. Pamatęs po stalčių besirausiantį Montalbaną pamanė, kad komisaras daro kratą, ieškodamas papuošalo. Išblyško, pradėjo drebėti, atsirėmė į duris.

– Ko jums?

Išgąsdinta tokios akivaizdžios vyro baimės moteris atsakė Montalbanui nespėjus nė prasižioti.

– Juk čia sąskaitininkas Virducas! – kone išrėkė.

– Virducas? Čia komisaras Montalbanas!

Moteris susvyravo, ir Montalbanas puolė prie jos, padėdamas atsisėsti ant lovos, išsigandęs, kad mažylis kartu su motina nenubildėtų ant grindų. Paskui komisaras prabilo, žodžiai išsiveržė iš burnos anksčiau, nei suveikė protas, toks reiškinys jam jau buvo nutikęs, o vienas lakios vaizduotės žurnalistas pavadino jį „nuojautos žaibu, kartais trenkiančiu į mūsų policininkus".

– Kur papuošalas?

Saras sujudėjo, sustingusiu kūnu, vatinėmis kojomis priėjo prie savo spintelės, ištraukė stalčių, išėmė kažką susuktą į laikraštį ir numetė ant lovos. Montalbanas paėmė ryšulį, nuėjo į virtuvę, atsisėdo, išvyniojo ryšulį. Papuošalas buvo grubus ir kartu subtilus: grubus, nes taip sumanytas, tačiau meistriškai pagamintas ir inkrustuotas nuostabiai nušlifuotais deimantais. Saras atsekė paskui jį į virtuvę.

– Kada jį radai?

– Pirmadienį anksti ryte, avių aptvare.

– Ar kam nors pasakei?

– Ne, tik savo žmonai.

– Kas nors tavęs klausė, ar neradai papuošalo?

– Taip. Filipas di Kosmas, jis Džedžės Gulotos žmogus.

– Ką jam pasakei?

– Kad nieko neradau.

– Jis patikėjo?

– Taip, manau, patikėjo. Ir pasakė, kad jei kartais jį rasčiau, turiu nekvailiodamas jam iškart atiduoti, nes tas reikalas gana keblus.

– Jis tau ką nors pažadėjo?

– Taip. Mirtinai uždaužyti, jei rasiu papuošalą ir jį pasiliksiu, ir penkiasdešimt tūkstančių lirų, jei rasiu papuošalą ir atiduosiu jam.

– Ką norėjai su juo daryti?

– Atiduoti į lombardą. Taip mes nusprendėme, aš ir Tana.

– Nenorėjote parduoti?

– Ne, juk jis ne mūsų, galvojome lyg kas būtų jį mums paskolinęs, nenorėjome pasipelnyti.

– Mes sąžiningi žmonės, – įsiterpė žmona, įeidama į virtuvę ir šluostydamasi akis.

– Ką ketinote daryti su pinigais?

– Mums reikia jų gydyti sūnui. Būtume galėję išvežti jį iš čia, į Romą, į Milaną, bet kur, kad tik pas daktarus, kurie išmano.

Valandėlę visi tylėjo. Paskui Montalbanas paprašė dviejų popieriaus lapų, moteris išplėšė juos iš bloknoto, kuriame surašydavo ūkio išlaidas. Vieną iš lapų komisaras ištiesė Sarui.

– Nubraižyk planą, kur tiksliai radai pakabuką. Juk tu matininkas?

Kol Saras braižė, kitame lape Montalbanas parašė:

„Aš, žemiau pasirašęs Montalbanas Salvas, Vigatos (Montelūzos provincija) policijos skyriaus komisaras, pareiškiu šiandien gavęs iš pono Montaperto Baldasaro, vadinamo Saru, storą auksinę grandinėlę su širdies formos pakabuku, taip pat auksiniu, inkrustuotu deimantais, kurį jis rado miestelio pakraštyje, vadinamajame avių aptvare, kur vykdė savo pareigas kaip švaros palaikymo darbuotojas. Pagarbiai."

Pasirašė, prieš užrašydamas datą kiek pagalvojo. Paskui apsisprendė ir parašė: „Vigata, 1993 m. rugsėjo 9 d." Saras baigė braižyti planą. Jie pasikeitė lapais.

– Puiku, – tarė komisaras tyrinėdamas tikslų brėžinį.

– Jūs suklydote rašydamas datą, – pastebėjo Saras. – Devinta diena buvo pirmadienis. Šiandien vienuolikta.

– Aš nesuklydau. Tu atnešei papuošalą tą pačią dieną, kai jį radai. Turėjai jį kišenėje, kai atėjote man pasakyti, kad radote negyvą Luparelą, bet atidavei man vėliau, nenorėdamas, kad pamatytų tavo bendradarbis. Aišku?

– Jei jūs taip sakote.

– Saugok šį lapą kaip savo akį.

– Dabar jį suimsite? – paklausė moteris.

– Už ką, ar jis kuo nors nusikalto? – perklausė Montalbanas atsistodamas.

Septyni

San Kalodžero smuklėje jį gerbė, ne tiek todėl, kad buvo policijos komisaras, kiek dėl to, kad buvo geras klientas, iš tų, kurie moka įvertinti. Jam pataisė šviežiausių sultonžuvių, paskrudintų ir valandėlei paliktų ant kepimo popieriaus, kad nuvarvėtų riebalai. Po kavos ir ilgoko pasivaikščiojimo rytiniu molu sugrįžo į nuovadą. Vos jį pamatęs, Facijus pakilo nuo savo rašomojo stalo.

– Komisare, jūsų laukia.

– Kas?

– Pinas Katalanas, prisimenate? Vienas iš dviejų šlavėjų, radusių Luparelo kūną.

– Tuoj pat atvesk jį pas mane.

Iškart suprato, kad jaunuolis suirzęs, įsitempęs.

– Sėskis.

Pinas prisėdo ant kėdės krašto.

– Ar galiu paklausti, kodėl atėjote į mano namus ir suvaidinote tą spektaklį? Aš nuo jūsų nieko nenuslėpiau.

– Tiesiog nenorėjau gąsdinti tavo motinos. Jei būčiau pasakęs, kad esu komisaras, ją galėjo ištikti širdies smūgis.

– Jei taip, tuomet dėkoju.

– Iš ko supratai, kad tai aš tavęs ieškojau?

– Paskambinau namo, kad sužinočiau, kaip laikosi mama,

palikau ją skaudančia galva, o ji man pasakė, kad buvo užėjęs vyras, kuris norėjo perduoti man voką, bet užmiršo jį darbe. Išėjo taręs, kad tuoj jį atneš, ir daugiau nepasirodė. Man pasidarė smalsu ir paprašiau, kad mama jį apibūdintų. Kai norėsite apsimesti kažkuo kitu, pasistenkite paslėpti tą apgamą po kairiąja akimi. Kodėl manęs ieškojote?

– Noriu užduoti vieną klausimą. Kas nors buvo atėjęs į avių aptvarą klausti, ar kartais neradai papuošalo?

– Taip, jūs jį pažįstate, Filipas di Kosmas.

– Ką jam pasakei?

– Pasakiau, kad nieko neradau, ir tai tikra tiesa.

– O jis?

– Jis man pasakė, kad jei rasčiau papuošalą – tuo geriau man, tuomet gaučiau penkiasdešimt tūkstančių lirų; bet jei rasiu tą pakabuką ir jam neatiduosiu, bus labai blogai. Tą patį jis sakė ir Sarui. Bet Saras irgi nieko nerado.

– Ar prieš ateidamas buvai užsukęs namo?

– Ne, atėjau tiesiai pas jus.

– Rašai pjeses?

– Ne, bet retkarčiais mielai jose vaidinu.

– O kas čia?

Ir padėjo ant stalo lapą, kurį buvo paėmęs nuo stalelio jo kambaryje. Pinas atsainiai pažvelgė, nusišypsojo.

– Ne, tai ne pjesė, tai...

Staiga nutilo sutrikęs. Tik dabar supratо, kad jei prieš jį ne pjesės dialogas, jam teks pasakyti, kas gi čia iš tiesų yra, o tai bus nelengva.

– Aš tau padėsiu, – tarė Montalbanas. – Čia užrašytas pokalbis telefonu, įvykęs su advokatu Ricu iškart po to, kai radote Luparelo kūną, dar prieš ateinant pas mane į komisariatą, kad praneštumėte apie savo radinį. Teisingai?

– Taip.

– Kuris iš judviejų skambino?

– Aš. Bet Saras buvo greta manęs ir viską girdėjo.

– Kodėl tai padarėte?

–Todėl, kad inžinierius buvo svarbus asmuo, jėga. Nusprendėme perspėti advokatą. Dar prieš tai norėjome paskambinti deputatui Kuzumanui.

– Kodėl gi nepaskambinote?

– Nes Luparelui mirus Kuzumanas tapo panašus į tokį, kuris per žemės drebėjimą praranda ne tik namus, bet ir juose paslėptus pinigus.

– Dabar paaiškink, kodėl norėjote perspėti Ricą.

– Nes gal dar buvo galima ką nors padaryti.

– Ką padaryti?

Pinas neatsakė, sėdėjo išpiltas prakaito, kramtydamas lūpas.

– Dar sykį tau padėsiu. Pasakei, kad gal dar buvo galima ką nors padaryti. Pavyzdžiui, patraukti automobilį iš avių aptvaro, perkelti jį kur nors kitur. Galvojote, kad būtent tokios paslaugos galėjo paprašyti Ricas?

– Taip.

– Ir būtumėt jam padėję?

– Aišku! Juk dėl to ir skambinome!

– O ko tikėjotės mainais?

– Kad jis pasiūlys mums darbą, padės laimėti konkursą į matininkų vietas, pagelbės įsitaisyti tinkamoje vietoje, išvaduos iš tos prakeiktos šlavėjų vergijos. Komisare, jūs geriau už mane žinote, kad netepęs nevažiuosi.

– Dabar paaiškink, kodėl tą pokalbį užsirašei? Norėjai jį šantažuoti?

– Kaip? Žodžiais? Žodžiai yra niekas, pasakai ir ištirpsta ore.

– Tuomet kodėl?

– Galite manim tikėti arba ne, bet pasakysiu štai ką. Užrašiau šitą pokalbį norėdamas jį patyrinėti, žvelgiant aktoriaus akimis kažkas jame man netiko, nederėjo.

– Nesuprantu.

– Tarkime, tai, kas čia parašyta, reikėtų suvaidinti. Taigi aš, veikėjas Pinas, ankstyvą rytą skambinu veikėjui Ricui, kad pasakyčiau, jog radau lavoną to, kurio sekretorius, ištikimas bičiulis ir partijos draugas jis buvo. Žodžiu, daugiau nei brolis. O veikėjas Ricas išlieka šaltas lyg šaldytas viščiukas, nesusijaudina, neklausinėja, kur jį radome, kaip jis mirė, ar jį nušovė, ar įvyko automobilių avarija. Tik paklausia, kodėl šitą žinią nutarėme pranešti būtent jam. Jums tai neatrodo keista?

– Atrodo. Tęsk.

– Taigi jis nenustemba. Negana to, nori atsiriboti nuo mirusiojo, tarsi šis būtų tik atsitiktinis pažįstamas. Liepia mums eiti ir atlikti savo pareigą, taigi pranešti policijai. Ir nutraukia pokalbį. Ne, komisare, tokia pjesė būtų niekam tikusi, žiūrovai leiptų juokais, ji beprasmė.

Montalbanas išleido Piną, pasilikdamas lapą. Šlavėjui išėjus susimąstė.

Prasmė buvo, neabejotinai. Kuo aiškiausia prasmė, jei toje tariamoje pjesėje, kuri nebuvo tokia tariama, Ricas jau prieš atsiliepdamas žinojo, kur ir kaip mirė Luparelas, ir troško, kad lavoną kuo greičiau atrastų.

Jakomucis nustebęs žiūrėjo į Montalbaną, komisaras stovėjo prieš jį išsipustęs, tamsiai mėlyna eilute, baltais marškiniais, juodais blizgančiais batais.

– Viešpatie! Gal tuokiesi?

– Ar jau baigėte tyrinėti Luparelo automobilį? Ką radote?

– Viduje nieko ypatinga. Bet...

– ... sudaužyta pakaba.

– Iš kur žinai?

– Paukštelis pakuždėjo. Klausyk, Jakomuci...

Ištraukė iš kišenės papuošalą ir numetė ant stalo. Jakomucis paėmė jį, įdėmiai apžiūrėjo ir jo veide suspindo nuostaba.

– Juk tai tikras! Vertas ne vieno šimto milijonų! Jis vogtas?

– Ne, vienas žmogus jį rado ant žemės avių aptvare ir man atidavė.

– Avių aptvare? Kokia gi kekšė gali įpirkti tokį papuošalą? Gal juokauji?

– Prašau jį ištirti, nufotografuoti, žodžiu, žinai savo darbą. Ir kuo greičiau pranešti man rezultatus.

Suskambo telefonas, Jakomucis atsiliepė ir perdavė ragelį komisarui.

– Klausau, kas kalba?

– Komisare, kalba Facijus, greičiau grįžkite, čia pas mus tokie dalykai!

– Pasakok.

– Mokytojas Kontinas pradėjo šaudyti į žmones.

– Kaip tai šaudyti?

– Šaudyti. Jis du kartus šovė iš savo balkono į priešais bare sėdinčius žmones, kažką šaukdamas, bet niekas nesuprato, ką. Trečią šūvį paleido į mane, kai ėjau pas jį, kad išsiaiškinčiau, kas atsitiko.

– Ką nors užmušė?

– Nieko. Tik nubrėžė tokiam De Frančeskui ranką.

– Gerai, tuoj atvažiuoju.

Strimgalviais lėkdamas tuos dešimt kilometrų, skyrusius jį nuo Vigatos, Montalbanas galvojo apie mokytoją Kontiną. Jiedu buvo ne šiaip pažįstami – turėjo vieną bendrą paslaptį. Prieš gerą pusmetį komisaras, kaip buvo įpratęs daryti du ar tris kartus per savaitę, vaikštinėjo rytiniu molu, iki pat švyturio. Prieš tai visada užsukdavo į Anzelmo Greko krautuvėlę, varganą lūšną tarp veidrodžiais spindinčių madingų drabužių parduotuvių ir barų. Be kitų keistų daiktų, kaip molinės figūrėlės ar surūdiję devynioliktojo amžiaus svarsčiai, Grekas prekiavo visokiais niekniekiais ir dar kepintais žirniais ir sūdytomis moliūgo sėklomis. Nusipirkdavo jų pilną popierinį maišelį ir išeidavo. Tą dieną nužingsniavo iki pat molo galo, prie švyturio, ir jau sukosi grįžti, kai apačioje, ant vieno iš betono luitų, pastebėjo sėdintį pagyvenusį vyrą, sustingusį, nuleista galva, nejaučiantį jį taškančių bangų purslų. Montalbanas įsižiūrėjo, ar tas vyras su meškere, ne, jis nežvejojo, tiesiog sėdėjo. Staiga pašoko, greit persižegnojo ir susvyravo ant pirštų galų.

– Stot! – sušuko Montalbanas.

Vyriškis sutriko, manė esąs visiškai vienas. Montalbanas dviem šuoliais prišoko prie jo, čiupo už švarko atlapų, pakėlė ir pastatė į saugią vietą.

– Ką ruošėtės daryti? Nusiskandinti?

– Taip.

– Kodėl?

– Mano žmona man neištikima.

Montalbanas tikėjosi visko, tik ne tokio atsakymo, vyriškis atrodė jau seniai peržengęs aštuntą dešimtį.

– Kiek jūsų žmonai metų?

– Na, aštuoniasdešimt. Man aštuoniasdešimt dveji.

Absurdiškas pokalbis absurdiškoje situacijoje, komisarui nė trupučio nesinorėjo jį tęsti, jis paėmė vyrą už parankės ir jėga nuvedė miestelio link. Tuomet vyriškis nutarė prisistatyti, padėtis dėl to tapo dar kvailesnė.

– Leiskite prisistatyti. Aš – Džiozuė Kontinas, buvau pradinės mokyklos mokytojas. O jūs kas? Aišku, jei norite pasisakyti.

– Esu Salvas Montalbanas, Vigatos policijos komisaras.

– Taip? Jūs pačiu laiku: pasakykite tai kekšei mano žmonai, kad liautųsi meilikavusi su Agatinu De Frančesku, nes aš vieną dieną iškrėsiu kokią kvailystę.

– Kas tas De Frančeskas?

– Kadaise jis dirbo laiškininku. Jaunesnis už mane, jam tik septyniasdešimt šešeri, o jo pensija pusantro karto didesnė už manąją.

– Jūs tikras dėl to, ką sakote, ar tai – tik įtarimas?

– Tikras, kaip Dievą myliu. Kiekvieną Dievo į žemę siųstą popietę, ar lyja, ar giedra, tas De Frančeskas ateina gerti kavos į barą prieš mano namus.

– Na ir kas?

– Kiek laiko jūs geriate kavą?

Montalbanas valandėlei pasidavė romiam senojo mokytojo pamišimui.

– Nelygu aplinkybės. Stovėdamas...

– Kodėl stovėdamas? Sėdėdamas!

– Na, priklauso, ar esu susitaręs susitikti ir laukiu, ar tik noriu prastumti laiką.

– O, ne, brangusis, anas ten atsisėda tik norėdamas pasižiūrėti į mano žmoną, o ir toji niekada nepraleidžia progos į jį pažiūrėti.

Jie jau priėjo miestelį.

– Mokytojau, kur jūs gyvenate?

– Prospekto gale, Dantės aikštėje.

– Verčiau eikime šalutinėmis gatvėmis.

Montalbanas nenorėjo, kad pamatę šlapią ir tirtantį iš šalčio senolį vigatiečiai imtų smalsauti ir klausinėti.

– Užeisite? Gal išgertumėt kavos? – paklausė senasis mokytojas, traukdamas iš kišenės laiptinės durų raktą.

– Ačiū, ne. O jūs persirenkite ir išsidžiovinkite.

Tą pačią popietę pasikvietė į komisariatą De Frančeską, buvusį laiškininką, čiuplutį atgrasų senioką, kuris į komisaro patarimus šaižiu balsu atsikirto:

– Galiu gerti kavą kur tinkamas! Gal uždrausta vaikščioti į barą priešais to sklerotiko Kontino namus? Jūs mane stebinate, turėtumėt atstovauti teisėtvarkai, o trukdote mane dėl tokių kvailysčių!

– Jau viskas baigta, – pasakė policininkas, saugantis nuo smalsuolių namo Dantės aikštėje laiptinės duris. Prie buto durų stovėjo kapralas Facijus, kuris beviltiškai skėstelėjo rankomis. Kambariai buvo idealiai sutvarkyti, stačiai švietė. Mokytojas Kontinas sėdėjo krėsle, ties širdimi matėsi nedidelė kraujo dėmė. Revolveris gulėjo prie krėslo ant grindų, senutėlis *Smith and Wesson*, penkių šūvių, matyt, dar iš Bufalou Bilo laikų, bet, nelaimei, vis dar veikiantis. Žmona gulėjo lovoje, rankose laikydama rožinį, ties jos širdimi irgi matėsi kraujo dėmė. Matyt, ji meldėsi, laukdama mirtino vyro šūvio. Montalbanas vėl prisiminė generalinį komisarą: šį kartą mirtis nebuvo praradusi savo orumo.

Suirzęs, piktas davė nurodymus kapralui ir paliko jį laukti teisėjo. Kartu su netikėtu ilgesiu pajuto ir sąžinės priekaištą: gal reikėjo įtaigiau pasikalbėti su senuoju mokytoju? Arba pranešti Kontino draugams, jo gydytojui?

Ilgai vaikštinėjo pakrante ir pamėgtuoju rytiniu molu, paskui kiek nusiraminęs sugrįžo į komisariatą. Jį pasitiko Facijus, atrodė labai nusiminęs.

– Kas tau, kas atsitiko? Ar teisėjas dar neatvyko?

– Ne, atvyko, ir jau išvežė kūnus.

– Kas tuomet?

– Tas, kad kol pusė miestelio subėgo pasižiūrėti į šaudantį mokytoją Kontiną, kažkokie niekšai apšvarino du butus, išnešė viską. Jau pasiunčiau keturis mūsiškius. Laukiau jūsų, kad irgi galėčiau ten vykti.

– Gerai, eik. Aš liksiu čia.

Nusprendė, kad atėjo laikas imtis sugalvoto plano, jis neabejotinai turėjo suveikti.

– Jakomucis?

– Po velnių! Ko nerimsti? Apie tavąjį papuošalą dar nieko negaliu pasakyti. Dar anksti.

– Puikiai žinau, kad dar negali nieko man pasakyti, suprantu tave.

– Tai ko skambini?

– Norėjau paprašyti kiek įmanoma laikytis slaptumo, istorija su papuošalu ne tokia paprasta kaip atrodo, ji gali pasisukti netikėta kryptimi.

– Tu mane įžeidinėji! Jei sakai, kad turiu apie kažką tylėti – tylėsiu, net prieš patį Dievą!

– Inžinierius Luparelas? Apgailestauju, kad šiandien neatėjau pas jus. Patikėkite, niekaip negalėjau. Prašau perduoti jūsų motinai mano atsiprašymą.

– Komisare, prašau valandėlę palaukti.

Montalbanas kantriai laukė.

– Komisare? Mama sako, kad lauks jūsų rytoj tuo pačiu laiku, jei jums tinka.

Komisaras patvirtino, kad jam kuo puikiausiai tinka.

Aštuoni

Namo grįžo pavargęs, norėdamas vieno – miegoti, tačiau beveik automatiškai, lyg tiko ištiktas įjungė televizorių. „Televigatos" žurnalistas, baigęs kalbėti apie dienos įvykį – susišaudymą tarp smulkiųjų mafijozų, kuris prieš kelias valandas įvyko Miletos pakraštyje – pranešė, kad Montelūzoje susirinko partijos, kuriai priklausė inžinierius Luparelas, provincijos sekretoriatas. Neeilinis susirinkimas, kuris ramesniais laikais iš deramos pagarbos mirusiajam būtų turėjęs įvykti bent po trisdešimties dienų nuo jo mirties, bet šiandienos audringas politinis gyvenimas vertė veikti greitai ir tiksliai. Taigi partijos provincijos sekretoriumi vienbalsiai išrinktas daktaras Andželas Kardamonė, Montelūzos ligoninės vyriausiasis gydytojas, osteologas, partijos viduje visada kovojęs su Luparelu, bet atvirai, drąsiai, garbingai. Jų požiūrių priešybę, tęsė žurnalistas, būtų galima paaiškinti taip: inžinierius siekė išlaikyti keturių partijų koaliciją, į kurią įsilietų naujos, politikos nenualintos jėgos (suprask: dar negavusios garantinių laiškų), o daktaras linko kalbėtis su kairiosiomis partijomis, nors apdairiai ir atsargiai. Naujai išrinktajam plaukė sveikinimo skambučiai ir telegramos, taip pat ir iš opozicijos. Duodamas interviu Kardamonė atrodė susijaudinęs, tačiau ryžtingas, pareikšdamas, kad dės visas įmanomas pastangas nesuteršti švento savo pirmtako atminimo, o baigdamas pareiškė skirsiąs atnaujintai partijai „savo darbą ir žinias".

– Laimė, kad partijai, – nesusilaikė nepakomentavęs Montalbanas, nes Kardamonės žinių chirurgijos srityje dėka provincijoje atsirado daugiau suluošintų žmonių nei paprastai lieka po smarkaus žemės drebėjimo.

Iškart po interviu žurnalisto pasakyti žodžiai privertė komisarą suklusti. Kad daktaras Kardamonė galėtų eiti savo keliu, neatmesdamas tų principų ir žmonių, kurie geriausiai išreiškė inžinieriaus politinę valią, sekretoriato nariai melste meldė advokatą Pjetrą Ricą, dvasinio Luparelo palikimo perėmėją, tapti naujojo sekretoriaus pavaduotoju. Kiek pasimuistęs, teisindamasis sunkia su šiomis nelauktomis pareigomis susijusia įsipareigojimų našta, Ricas leidosi įtikinamas ir sutiko. „Televigatai" duotame interviu advokatas, taip pat jaudindamasis, pareiškė negalėjęs atsisakyti šios naštos, norėdamas likti ištikimas savo mokytojo ir draugo, visada turėjusio tik vieną šūkį: tarnauti, atminimui. Montalbanas negalėjo sulaikyti nuostabos: naujai išrinktas sekretorius oficialiai susijungė su ištikimiausiu savo pagrindinio priešininko bendradarbiu? Nuostaba truko neilgai, o komisaras atsitokėjęs suprato, koks buvo naivus: toji partija nuo seno garsėjo įgimtu polinkiu į kompromisus ir vidurio kelią. Gali būti, kad Kardamonė dar nesijautė pakankamai stiprus ir pajėgus veikti vienas, todėl ieškojo paramos.

Jis perjungė kanalą. „Retelibera" skambėjo kairiosios opozicijos balsas: Nikolas Dzitas, populiariausias komentatorius, aiškino, kaip, kalbant dialektu, *zara zabara*, arba lotyniškai *mutatis mutandis*, visoje saloje, o ypač Montelūzos provincijoje, niekas nesikeičia, nors politinis barometras rodo artėjant audrą. Pacitavęs garsiąją frazę apie visko pakeitimą taip, kad nieko nepakeistum, jis baigė teiginiu, jog Luparelas ir Kardamonė tėra dvi to paties medalio pusės, kurias jungia ne kas kitas, o advokatas Ricas.

Montalbanas šoko prie telefono, surinko „Retelibera" numerį ir paprašė pakviesti Dzitą: su žurnalistu juos siejo abipusis prielankumas, kone draugystė.

– Komisare, ko reikia?

– Susitikti.

– Drauguži, rytoj ryte išskrendu į Palermą, manęs nebus mažiausiai savaitę. Ar tiks, jei atvažiuosiu pas tave po pusvalandžio? Paruošk ko užkąsti, aš alkanas.

Nesunku išvirti makaronų su aliejumi ir česnaku. Jis atidarė šaldytuvą. Adelina buvo pataisiusi puodą virtų krevečių, užtektų keturiems. Adelina buvo dviejų nuteistųjų motina, jaunesnįjį iš brolių suėmė pats Montalbanas, prieš trejus metus. Jis vis dar kalėjo.

Livija, praėjusių metų liepą atvažiavusi į Vigatą praleisti su Montalbanu porą savaičių, išgirdusi šią istoriją, mirtinai išsigando.

– Gal išprotėjai? Kurią nors dieną ji sugalvos atkeršyti ir pripils tau į sriubą nuodų!

– Už ką atkeršyti?

– Kad suėmei jos sūnų!

– Gal aš dėl to kaltas? Adelina puikiai žino, kad kaltas ne aš, o jos sūnus, kuris per kvailumą leidosi suimamas. Aš jį suėmiau garbingai, be jokių pinklių ar pasalų. Viskas buvo teisėta.

– Man nusispjaut į jūsų iškreiptą mąstymo būdą. Privalai ją atleisti.

– Jei ją atleisiu, kas man tvarkys namus, skalbs, lygins, ruoš valgyti?

– Susirasi kitą!

– Čia tu klysti: tokios geros kaip Adelina niekur nerasiu.

Kaitė puodą, kai suskambo telefonas.

– Norėčiau prasmegti skradžiai žemę, kad buvau priverstas pažadinti jus tokį vėlyvą metą, – pasigirdo ragelyje.

– Nemiegojau. Su kuo kalbu?

– Pjetras Ricas, advokatas.

– Sveikinu, advokate!

– Su kuo? Jei su mano partijos man suteikta garbe – verčiau turėtumėt pareikšti užuojautą, patikėkite, sutikau tik vardan amžinos ištikimybės vargšelio inžinieriaus idealams. Norėčiau paaiškinti, kodėl išdrįsau paskambinti tokią vėlyvą valandą: komisare, man reikia su jumis susitikti.

– Dabar?

– Ne, ne dabar, bet, patikėkite, reikalas tikrai neatidėliotinas.

– Galėtume susitikti rytoj ryte, tačiau rytoj laidotuvės, tiesa? Jūs būsite be galo užimtas.

– O, taip! Taip pat ir visą popietę. Suprantate, keletas garbių svečių neabejotinai liks paviešėti.

– Tuomet kada?

– Žinote, geriau pagalvojęs, sakyčiau, kad galėtume susitikti rytoj ryte, tik anksti. Kelintą paprastai atvykstate į darbą?

– Apie aštuonias.

– Aštuntą man puikiai tiktų. Sugaišinsiu jus tik keletą minučių.

– Advokate, kadangi rytoj ryte turėsite mažai laiko, ar negalėtumėt pasakyti, kokiu reikalu?

– Telefonu?

– Tik užsiminkite.

– Gerai. Mano ausis pasiekė gandas, nežinau, kiek teisingas, kad jums perduotas daiktas, atsitiktinai rastas ant žemės. Esu įpareigotas jį atsiimti.

Montalbanas uždengė ragelį delnu ir pratrūko pašėlusiai juoktis, kone pasikūkčiodamas žvengti. Jis užmovė papuošalo jauką ant Jakomucio kabliuko ir pagavo žuvį, didžiausią kokią tik galėjo tikėtis. Kaip Jakomuciui pasisekdavo visiems pranešti tai, ką ne visi turėjo žinoti? Gal jis naudojosi lazerio spinduliais, telepatija, burtais? Išgirdo advokatą šaukiant:

– Klausau! Klausau! Nebegirdžiu jūsų! Ar nutrūko ryšys?

– Ne, atsiprašau, numečiau ant grindų pieštuką ir lenkiausi jį pakelti. Iki rytojaus aštuntos ryto.

Išgirdęs durų skambutį, subėrė į puodą makaronus ir nuėjo atidaryti.

– Ką pagaminai? – paklausė Dzitas dar tarpduryje.

– Makaronų su aliejumi ir česnaku, krevečių su česnaku ir citrina.

– Puiku.

– Eikš į virtuvę, padėsi. Ir atsakyk man į pirmąjį klausimą: ar moki ištarti „neatidėliotinas"?

– Gal tau proto užtemimas? Strimgalviais varei mane iš Montelūzos į Vigatą, kad paklaustum, ar moku ištarti žodį? Bet atsakysiu: moku. Labai lengva.

Jis pabandė kelis kartus, kaskart vis labiau susipainiodamas.

– Reikia būti neeilinių gabumų, – tarė komisaras, pagalvojęs apie Ricą, ir ne tik apie advokato gebėjimą taip lengvai ištarti sunkius žodžius.

Jie valgė, kalbėdamiesi apie maistą, kaip visada. Dzitas prisiminė pasakiško skonio krevetes, kurių prieš dešimt metų turėjo laimės ragauti Fjakoje ir supeikė patiektųjų krevečių virimo trukmę, taip pat pasipiktino, kad jos nepaskanintos petražolėmis.

– Kaip atsitiko, kad „Retelibera" televizijoje staiga visi tapote anglais? – netikėtai paklausė Montalbanas, gurkšnodamas baltąjį vyną, nuostabaus aromato, kurio jo tėvas nupirko Randaco apylinkėse. Prieš savaitę jis atvežė šešis butelius, nors tai buvo tik pretekstas kiek pabūti drauge.

– Kaip suprasti anglais?

– Ogi pasistengėte neapšmeižti Luparelo, nors anksčiau tai darydavote pasitaikius mažiausiai progai. Tik pagalvokite, inžinierių tame viešnamyje po atviru dangum ištinka širdies smūgis, jis miršta tarp kekšių, sąvadautojų, pederastų su nuleistomis kelnėmis, žodžiu, atgrasus vaizdelis, o jūs, užuot naudojęsi proga, užklojate jo mirties aplinkybes gailestingumo šydu.

– Mūsų moralė neleidžia naudotis tokiomis aplinkybėmis, – tarė Dzitas.

Montalbanas prapliupo juoktis.

– Nikolai, ar gali padaryti man paslaugą? Gal eitumėt kakoti, tu ir tavoji „Retelibera"?

Dabar nusijuokė Dzitas.

– Gerai, štai kaip viskas buvo. Praėjus keletui valandų, kai buvo rastas kūnas, advokatas Ricas puolė pas baroną Filą di Baučiną, raudonąjį baroną, komunistą milijardierių, ir atsigulė kryžiumi melsdamas, kad mūsų studija neminėtų mirties aplinkybių. Jis apeliavo į barono protėvių kadaise, atrodo, turėtą riterišką taurumą. Kaip žinai, baronas valdo aštuoniasdešimt procentų „Retelibera" akcijų. Viskas.

– Nė velnio ne viskas. Tu, Nikolas Dzitas, pelnęs savo varžovų pagarbą tuo, kad visada pasakai tai, ką reikia pasakyti, tarei baronui „Klausau!" ir pasislėpei kampe?

– Kokios spalvos mano plaukai? – perklausė Dzitas.

– Raudoni.

– Montalbanai, aš esu raudonas viduje ir išorėje, esu iš tų blogų pagiežingų komunistų, kurie jau baigia išnykti. Sutikau nutylėti, nes esu tikras, kad tas, kuris prašė nutylėti mirties aplinkybes idant nesuteptų vargšelio inžinieriaus atminimo, linkėjo jam bloga, o ne gera, nors siekė įtikinti atvirkščiai.

– Nesuprantu.

– Paaiškinsiu, naivuoli. Jei nori, kad koks nors skandalas greit pasimirštų, privalai kuo daugiau apie jį kalbėti – per televiziją, laikraščiuose. Kasdien ir kas valandą. Žmonėms tai greit įkyrės, jie ims piktintis tokiu perdėtu dėmesiu tam ar kitam reikalui. Kada pagaliau tai baigsis? Įkyrėjo! Ir po dviejų savaičių persisotinę niekas nebenorės nieko apie tą skandalą girdėti. Supratai?

– Atrodo, taip.

– O jei viską nutylėsi, tyla prabils, daugės nevaldomų gandų ir niekas nepajėgs jų nuslopinti. Nori pavyzdžių? Ar žinai, kiek skambučių gavo redakcija būtent todėl, kad nutylėjome mirties aplinkybes? Ne mažiau šimto. Ar tiesa, kad inžinierius automobilyje tvarkydavosi su dviem iš karto? Ar tiesa, kad inžinieriui patikdavo „sumuštinis", ir kol jis dulkindavo kokią kekšę, negras tvarkė jį iš užpakalio? O štai ko mūsų paklausė šį vakarą: ar tiesa, kad Luparelas savo kekšėms dovanodavo pasakiškai brangius papuošalus? Atrodo, avių aptvare rado kažką panašaus. Beje, gal tu ką nors apie tai žinai?

– Aš? Ne, kažkokia nesąmonė, – ramia širdim sumelavo komisaras.

– Matai? Esu tikras, kad po kelių mėnesių koks nors kvailys paklaus manęs, ar tiesa, kad inžinierius prievartaudavo mažamečius vaikus, o paskui prikimšdavo juos kaštonų, iškepdavo ir suvalgydavo. Jam mesta dėmė bus amžina, taps legenda. Tikiuosi, dabar supranti, kodėl sutikau tylėti.

– O kokia Kardamonės pozicija?

– Nežinau. Jo išrinkimas buvo labai keistas. Supranti, provincijos sekretoriate sėdi Luparelo žmonės, išskyrus du Kardamonės šalininkus, kurie ten laikyti dėl parodos, kad partija pasirodytų esanti demokratiška. Todėl naujuoju sekretoriumi galėjo ir privalėjo būti inžinieriaus šalininkas. Tik staiga pakyla Ricas ir pasiūlo Kardamonę. Kiti klano nariai apstulbsta, tačiau nedrįsta prieštarauti, nes taip siūlo Ricas. Vadinasi, kažkur tyko pavojus, todėl advokatą reikia palaikyti. Pakviečiamas Kardamonė, jis sutinka priimti siūlomas pareigas ir išsirenka padėjėju Ricą, didžiuliam savo dviejų šalininkų nepasitenkinimui. Aš suprantu Kardamonę: verčiau priimti jį į laivą, pagalvojo, nei palikti kaip plaukiojančią miną.

Paskui Dzitas pradėjo pasakoti romaną, kurį sumanė parašyti, taip jie prasėdėjo iki ketvirtos ryto.

Apžiūrinėdamas Livijos dovanotą gėlę mėsingais lapais, kurią laikė kabinete ant palangės, Montalbanas pamatė, kaip prie durų sustojo tamsiai mėlynas valdiškas automobilis su telefonu, vairuotoju ir apsauginiu, kuris išlipo pirmas ir atidarė dureles. Pro jas išniro žemas, plikas vyriškis, automobilio spalvos kostiumu.

– Pas mane ateina žmogus, praleisk jį nedelsdamas, – pasakė budėtojui.

Įėjus Ricui, komisaras pastebėjo kairės rankos viršuje užrištą delno platumo juodą raištį: gedulo juosta rodė, kad advokatas jau pasiruošęs laidotuvių apeigoms.

– Kuo galėčiau pelnyti jūsų atleidimą?

– Už ką?

– Kad sutrukdžiau jus namuose tokį vėlyvą metą.

– Reikalas, kaip sakėte, buvo neatidė...

– Be abejo, neatidėliotinas.

Tas advokatas Pjetras Ricas tikras šaunuolis!

– Eisiu iškart prie reikalo. Viena jauna labai gerbiama pora vėlų praėjusio sekmadienio vakarą kiek išgėrė ir panoro patenkinti savo visiškai neapgalvotą įgeidį. Žmona įkalbėjo vyrą nuvežti ją į avių aptvarą – toji vieta ir tai, kas joje vyksta, sužadino jos smalsumą. Sutinku, smerktiną smalsumą, bet tik tiek. Pora atvyko į avių aptvaro pakraštį, moteris išlipo iš mašinos. Tačiau netrukus, išgirdusi nešvankius pasiūlymus, pasipiktino, sėdo atgal į mašiną ir jie išvažiavo. Grįžusi namo, ji pamatė pametusi brangų kaklo papuošalą.

– Koks keistas sutapimas, – lyg pats sau ištarė Montalbanas.

– Prašau?

– Pagalvojau, kad beveik toje pat vietoje ir tą pat valandą mirė inžinierius Luparelas.

Advokatas Ricas nesutriko, jo veide atsispindėjo gilus liūdesys.

– Žinote, aš irgi apie tai pagalvojau. Likimo pokštai.

– Ar tas daiktas, apie kurį kalbate, yra stambi aukso grandinėlė su širdies formos aukso pakabuku, inkrustuotu deimantais?

– Teisingai. Atvažiavau prašyti, kad perduotumėt jį teisėtiems savininkams, taip pat santūriai, kaip elgėtės suradęs vargšą inžinierių.

– Prašau atleisti, tačiau neturiu nė menkiausio supratimo, kaip tokiu atveju turėčiau pasielgti. Šiaip ar taip, manau, viskas būtų daug paprasčiau, jei ateitų pati savininkė.

– Turiu jos teisėtą įgaliojimą.

– Tikrai? Galėčiau jį pamatyti?

– Be abejo, komisare. Supraskite mane teisingai: prieš atskleisdamas savo klientų vardus, norėjau įsitikinti, kad tai tas pats daiktas, kurio jie ieško.

Jis įkišo ranką į kišenę ir ištraukęs popieriaus lapą ištiesė Montalbanui. Komisaras įdėmiai perskaitė.

– Kas tas Džakomas Kardamonė, pasirašęs įgaliojimą?

– Profesoriaus Kardamonės, mūsų naujojo partijos provincijos sekretoriaus, sūnus.

Montalbanas nusprendė, kad atėjo laikas dar kartą suvaidinti.

– Iš tiesų keista! – tarė pusbalsiu, su gilaus susimąstymo išraiška veide.

– Atleiskite, neišgirdau?

Montalbanas atsakė ne iš karto, palikdamas jį gerokai paprakaituoti.

– Pagalvojau, kad likimas, kaip jūs pasakėte, šitoje istorijoje nutarė kiek per daug papokštauti.

– Atleiskite, kokia prasme?

– Ta prasme, kad naujojo partijos sekretoriaus sūnus atsiranda tuo pačiu metu ir toje pačioje vietoje, kur miršta senasis sekretorius. Ar jums tai neatrodo keista?

– Dabar, kai pasakėte, taip. Tačiau neabejoju, kad tarp šių dviejų istorijų nėra nė mažiausio ryšio, esu tuo tikras.

– Aš irgi nė kiek dėl to neabejoju, – tarė Montalbanas, paskui tęsė:

– Neįskaitau, koks čia parašas greta Džakomo Kardamonės parašo.

– Tai jo žmona, švedė. Atvirai kalbant, kiek ištvirkusi moteriškė, nemokanti taikytis prie mūsų papročių.

– Kaip manote, kiek tas papuošalas galėtų kainuoti?

– Neįsivaizduoju, bet savininkai man pasakė, kad apie aštuoniasdešimt milijonų.

– Padarysime taip. Vėliau paskambinsiu savo kolegai Jakomuciui – dabar papuošalas yra pas jį, ir paprašysiu, kad jį man grąžintų. Rytoj ryte mano policininkas jį pristatys jums į biurą.

– Nė nežinau, kaip galėčiau atsidėkoti...

Montalbanas pertraukė jį.

– O jūs, kaip priklauso, parašysite patvirtinimą, kad gavote papuošalą.

– Be abejo!

– Ir čekį dešimčiai milijonų, leidau sau suapvalinti papuošalo kainą, taigi procentus, priklausančius už brangenybių arba pinigų radybas.

Ricas elegantiškai atrėmė smūgį.

– Visiškai teisingai. Kieno vardu rašyti?

–Baldasaro Montaperto, vieno iš dviejų šlavėjų, radusių inžinieriaus kūną.

Advokatas rūpestingai užsirašė vardą.

Devyni

Ricas dar nespėjo uždaryti durų, o Montalbanas jau rinko Nikolo Dzito namų numerį. Ką tik iš advokato išgirsti žodžiai įsuko jo proto mechanizmą, o tai, kad ir kaip keista, sukėlė nenumaldomą norą veikti. Atsiliepė Dzito žmona.

– Mano vyras ką tik išėjo, jis išvyksta į Palermą.

Paskui įtariai:

– Ar šiąnakt jis buvo ne pas jus?

– Taip, ponia, be abejo, jis buvo pas mane, bet tik šįryt prisiminiau labai svarbų dalyką.

– Palaukite, gal pavyks jį sulaikyti, pašauksiu per telefonspynę.

Netrukus išgirdo šnopavimą, o paskui draugo balsą.

– Ko tau? Ar neužteko nakties?

– Man reikia informacijos.

– Tik trumpai.

– Noriu žinoti viską, absoliučiai viską, net pačius keisčiausius gandus, apie Džakomą Kardamonę ir jo žmoną, kuri, atrodo, yra švedė.

– Kaip tai „atrodo“? Metro aštuoniasdešimties kartis, blondinė, o kokios kojos ir veidelis! Jei nori žinoti absoliučiai viską, reikia laiko, kurio aš neturiu. Klausyk, padarysime taip: aš išvažiuoju, kelionėje viską apgalvoju ir prisiekiu, kad vos atvykęs išsiųsiu tau faksą.

– Kur išsiųsi? Į komisariatą? Čia mes dar mušame tamtamus ir leidžiame dūmų ženklus.

– Tada išsiųsiu faksą į savo redakciją Montelūzoje. Užvažiuok ten šiandien perpiet.

Jis negalėjo nusėdėti vietoje, privalėjo judėti, todėl išėjo iš savo kabineto ir pasuko į kapralų kambarį.

– Kaip Tortorela?

Facijus dirstelėjo į tuščią kolegos rašomąjį stalą.

– Vakar buvau jo aplankyti. Sako, pirmadienį jį išrašys iš ligoninės.

– Ar žinai, kaip galima patekti į senąją gamyklą?

– Kai ją uždarė ir aplinkui sumūrijo sieną, joje įstatė tokias žemas geležines duris, pro jas reikia eiti kone keturiomis.

– Kas turi jų raktą?

– Nežinau, bet galiu paklausinėti.

– Ne tik paklausinėsi, bet dar priešpiet man jį atneši.

Sugrįžo į savo kabinetą ir paskambino Jakomuciui. Šis, privertęs gerokai palaukti, pagaliau nusprendė atsiliepti.

– Kas tau, paleido vidurius?

– Montalbanai, liaukis, ko reikia?

– Ką radai ant pakabuko?

– O ko tikėjaisi? Nieko. Teisingiau, pirštų atspaudus, bet jų tiek daug ir taip sujauktų, kad neįmanoma nustatyti. Ką daryti toliau?

– Atsiųsk man papuošalą šiandien. Supratai, šiandien.

Iš gretimo kambario atsklido piktas Facijaus balsas.

– Klausykit, nejaugi niekas nežino, kam priklauso ta chemijos gamykla? Juk turi būti koks nors administratorius ar sargas!

Pamatęs įeinant Montalbaną, sušuko:

– Atrodo, lengviau gauti švento Petro raktus!

Komisaras pranešė išeinąs ir grįšiąs po dviejų valandų. O grįžęs ant savo darbo stalo norįs rasti raktą.

Vos pamačiusi jį ant slenksčio, Montaperto žmona išblyško ir griebėsi už širdies.

– O, Viešpatie! Kas nors atsitiko?

– Nieko, dėl ko turėtumėt jaudintis. Priešingai, patikėkite, atėjau su geromis žiniomis. Jūsų vyras namuose?

– Taip, šiandien anksti baigė darbą.

Moteriškė palydėjo jį į virtuvę, o pati nuėjo pakviesti Sarą, kuris miegamajame, atsigulęs greta mažylio, stengėsi jį nors trumpam užliūliuoti.

– Sėskit ir įdėmiai klausykit, – tarė komisaras. – Kur norėjote vežti savo sūnų už pinigus, gautus užstačius papuošalą?

– Į Belgiją, – iškart atsakė Saras. – Ten gyvena mano brolis, jis sakė, kad galėsime apsistoti jo namuose.

– Ar turite pinigų kelionei?

– Taupiai gyvendami, šį tą pajėgėme atidėti, – tarė moteris, jos balse pasigirdo pasididžiavimo gaida.

– Bet jų užteks tik kelionei, – patikslino Saras.

– Puiku. Tu šiandien eik į stotį ir nupirk bilietus, ne, verčiau sėsk į autobusą ir nuvažiuok į Rakadalį, rodos, ten yra kelionių agentūra?

– Taip, tikrai. Bet kodėl turėčiau važiuoti į Rakadalį?

– Nenoriu, kad čia, Vigatoje, žinotų, ką ruošiatės daryti. Jūs, ponia, sukraukite lagaminus. Niekam, net giminėms, nesakykite, kur išvažiuojate. Supratote?

– Taip, supratome, bet, komisare, kas čia bloga, jei norime važiuoti į Belgiją gydyti savo sūnų? Jūs kalbate taip, lyg darytume ką prieš įstatymą, liepiate slapstytis.

– Sarai, suprask, tu nepažeidi jokių įstatymų. Bet nenoriu rizikuoti, todėl privalai manim pasitikėti ir daryti taip, kaip sakau.

– Gerai, tik jūs gal pamiršote, kad pinigų mums užteks nuvažiuoti į Belgiją ir grįžti atgal. Ko mums ten važiuoti, į ekskursiją?

– Turėsite užtektinai pinigų. Rytoj rytą vienas iš mano policininkų atneš jums čekį dešimčiai milijonų.

– Dešimt milijonų? Iš kur? – paklausė Saras dusdamas iš nuostabos.

– Jie tau priklauso pagal įstatymą už papuošalą, kurį radai ir man atidavei. Tuos pinigus galėsite leisti kaip tinkami, be jokių problemų. Kai tik gausi čekį, lėk į banką, paimk pinigus ir išvažiuokite.

– Kas parašys čekį?

– Advokatas Ricas.

– Aaa, – ištarė Saras ir apsiniaukė.

– Nebijok, viskas teisėta ir aš kontroliuoju padėtį. Bet geriau imtis visų atsargumo priemonių, nenorėčiau, kad Ricas pasielgtų kaip tie niekšeliai, kurie paskui staiga ima ir apsigalvoja. Dešimt milijonų yra dešimt milijonų.

Džalombardas atraportavo, kad kapralas išvyko senosios gamyklos rakto, bet sugrįš ne anksčiau, kaip po dviejų valandų: sargas nesveikuoja ir išvažiavęs pas savo sūnų į Montedorą.

– Dar skambino teisėjas Lo Bjankas, – pranešė policininkas, – prašė, kad paskambintumėt jam prieš dešimtą.

– Komisare, ačiū kad paskambinote, jau ėjau pro duris, ruošiuosi į Katedrą, į laidotuves. Ir žinau, kad ten mane apipuls, tiesiogine to žodžio prasme, įvairūs garbūs žmonės, o jų lūpose skambės vienas ir tas pats klausimas. Ar žinote koks?

– Kodėl dar nebaigta inžinieriaus Luparelo byla?

– Komisare, jūsų spėjimas teisingas, nors tai manęs nė kiek nedžiugina. Nenoriu įžeisti, gink Dieve, nenoriu būti nesuprastas... bet jei turite kokių konkrečių įrodymų – tęskite bylą, jei ne – baikite ją. Supraskite, niekaip negaliu suvokti, ką tikitės rasti? Inžinierius mirė natūralia mirtimi. O jūs, jei teisingai supratau, spyriojatės tik dėl to, kad jis mirė buvusiame avių aptvare. Patenkinkite mano smalsumą: jei Luparelą būtų radę šalikelėje, ar elgtumėtės taip pat?

– Ne.

– Ko tuomet siekiate? Iki rytojaus privalote baigti bylą. Supratote?

– Teisėjau, prašau nepykti.

– Aš pykstu, bet ant savęs. Jūs verčiate mane vartoti žodį „byla", nors jis čia visai netinkamas. Iki rytojaus, supratote?

– Ar galėčiau iki šeštadienio, imtinai?
– Gal čia turgus, kad deratės? Gerai. Bet jei pavėluosite nors vieną valandą, teks pasikalbėti su jūsų viršininkais.

Dzitas tesėjo žodį, „Retelibera" redakcijos sekretorė ištiesė Montalbanui faksą iš Palermo. Jis perskaitė jį važiuodamas į avių aptvarą.

Ponaitis Džakomas – klasikinis tėtušio sūnelio pavyzdys, be jokios vaizduotės. Tėvas – doras žmogus (išskyrus vieną trūkumą, apie kurį vėliau), skirtingai nei velionis Luparelas. Džakominas gyvena su antrąja žmona, Ingrid Sjostrom, apie kurios dorybes tau jau pasakojau stovėdamas pirmajame savo gimtųjų namų aukšte. Dabar išvardysiu jo nuopelnus, bent tuos, kuriuos prisimenu. Tuščiagalvis, niekada nenorėjo nei mokytis, nei kuo nors domėtis, išskyrus pernelyg ankstyvą susidomėjimą kvaišalais, tačiau Viešpaties (arba tiesiog tėvo) padedamas visada būdavo keliamas į aukštesnę klasę su geriausiais įvertinimais. Nors buvo įstojęs į mediciną, niekada nelankė universiteto (juo geriau visuomenės sveikatai). Būdamas šešiolikos, be teisių važiuodamas galinga tėvo mašina, negyvai partrenkė aštuonerių metų berniuką. Nubaustas nebuvo, o jo tėvas sumokėjo vaiko šeimai didelius pinigus. Suaugęs įsteigė paslaugų bendrovę. Po dvejų metų bendrovė žlugo, Kardamonė neprarado nė liros, jo kompanionas nusišovė, o nutaręs viską išsiaiškinti finansų policijos pareigūnas perkeltas dirbti į Bolcaną. Šiuo metu prekiauja vaistais (kaipgi kitaip! juk tėtušis jam viską suorganizuoja!) ir išleidžia nepalyginamai daugiau pinigų nei gauna įplaukų.

Aistra – lenktyniniai automobiliai ir žirgai, įkūrė (Montelūzoje!) polo klubą, kur niekas iki šiol nėra matęs nė vieną šio tauraus sporto varžybų, bet gali iki valiai pasimėgauti kokainu.

Jei paklaustum, ką nuoširdžiai galvoju apie šį veikėją, pasakyčiau, kad jis – tipiškas rinktinis kvailio egzempliorius, iš tų, kurie užauga greta galingų ir turtingų tėvų. Sulaukęs dvidešimt dvejų, susijungė santuokos saitais (juk taip sakoma?) su Albamarina (draugams – Baba) Kolatino, iš garsios ir turtingos Palermo prekybininkų šeimos. Po dvejų metų Baba parašo pareiškimą Šventajam Tribunolui, prašydama nutraukti jų santuoką. Motyvas – akivaizdi sutuoktinio impotentia generandi. *Tiesa, pamiršau: būdamas aštuoniolikos, taigi ketveri metai iki vedybų, jis užtaisė vaiką vienos iš kambarinių dukrai, o Visagalis ir vėl užglostė šį nemalonų įvykį. Taigi galimybės buvo tik dvi: melavo arba Baba, arba kambarinės duktė. Neapskundžiamu Romos prelatų sprendimu melavo kambarinė (ir kaip čia suklysi?), Džakomas buvo nevaisingas (ir už tai turėtų būti dėkingas Aukščiausiajam). Gavusi santuokos nutraukimą, Baba išteka už savo pusbrolio, su kuriuo draugavo ir anksčiau, o Džakomas išvyksta užsimiršti į ūkanotas šiaurės šalis.*

Švedijoje jis stebi kažkokį varginantį autoralį per ežerus, skardžius ir kalnus. Jį laimi ilgšė blondinė, automechanikė, kurios vardas – taip! – Ingrid Sjostrom. Brangusis, kaip turėčiau pasakoti, kad nenuklysčiau teleserialo vingiais? Meilė iš pirmo žvilgsnio ir vestuvės. Jau penkerius metus jie kartu, Ingrid kartais grįžta į tėvynę dalyvauti savo autoraliuose. Su švedams įprastu laisvumu ir atsainumu stato vyrui ragus. Kartą penki (vadinamieji) džentelmenai smaginosi polo klube. Jiems bendraujant, buvo užduotas klausimas: kas nesidulkino su Ingrid, tegul atsistoja. Visi penki liko sėdėti. Paskui visi smagiai juokėsi, ypač Džakomas, kuris irgi ten buvo, bet žaidime nedalyvavo. Sklinda gandas, nors jo niekaip negalima patikrinti, kad ir griežtasis profesorius Kardamonė vyresnysis buvo susikukavęs su savo marčia. Tokia būtų pradžioje minėta jo nuodėmė. Daugiau nieko neprisimenu. Tikiuosi, mano paskalos tau pravers. Naudokis. NIKOLA

Į avių aptvarą atvyko apie dvi, ten nesimatė nė gyvos dvasios. Geležinių durelių užraktas buvo sugraužtas druskos ir rūdžių.

Montalbanas tai numatė ir turėjo purškiamo tepalo, kuriuo sutepdavo ginklus. Grįžo į mašiną laukti, kol alyvos tepalas padarys savo darbą, ir įjungė radiją.

Laidotuvių apeigos, kalbėjo vietos radijo pranešėjas, buvo nepaprastai jaudinančios, o staiga blogai pasijutusią našlę teko nešte išnešti iš Katedros. Kalbas pasakė eilės tvarka: vyskupas, visos šalies partijos sekretoriaus pavaduotojas, regiono partijos sekretorius ir ministras Pelikanas, visada buvęs velionio draugu. Mažiausia dviejų tūkstančių žmonių minia šventoriuje laukė išnešamo karsto, kad galėtų pratrūkti karštais jaudinamais plojimais.

„Karštais, sutinku, bet kaip plojimai gali būti jaudinami?", – svarstė Montalbanas. Išjungė radiją ir nuėjo išbandyti rakto. Šis tiko, tačiau durys tarsi įaugo į žemę. Stūmė pečiu tol, kol pagaliau atsivėrė plyšys, pro kurį pavyko prasisprausti. Akmenukai, gelžgaliai, smėlis – štai kas trukdė durims atsiverti. Akivaizdu, kad sargas čia nesirodė daugelį metų. Pamatė, kad gamykla apsupta dviejų sienų: apsauginės su durimis ir senosios, apgriuvusios, kurios juosė gamyklą, kai ši dar veikė. Pro mūro plyšius matėsi surūdiję įrengimai, stori čia tiesūs, čia susukti vamzdžiai, milžiniški destiliacijos aparatai, geležiniai pastoliai su didelėmis properšomis, keisčiausioje pusiausvyroje pakibę karkasai, neįtikėtinai pasvirę plieniniai bokšteliai. Visur supleišėjusios grindys, kiauros lubos, plačios erdvės, kadaise sutvirtintos plieno sijomis, kurios dabar sutrūkinėjo ir kiekvieną akimirką galėjo kristi žemyn, kur jau neliko nieko, tik suaižėjęs betonas, pro kurio plyšius kyšojo pageltusi žolė. Sustojęs tarp dviejų mūrų, Montalbanas žiūrėjo lyg užkerėtas: iš išorės gamykla visada jam patiko, o dabar tiesiog užbūrė. Gailėjosi neatsinešęs fotoaparato. Atsipeikėjo išgirdęs pratisą duslų garsą, lyg vibravimą, tarytum sklindantį iš gamyklos gilumos.

– Ką ten galėtų veikti? – įtariai susidomėjo.

Nusprendė nueiti į automobilį ir apsiginkluoti. Pistoleto beveik niekada nesinešiodavo, ginklo svoris kelnių ar švarko kišenėse jį vargino. Sugrįžo į gamyklą, garsas tebegaudė. Pradėjo atsargiai slinkti į priešingą pusę nei ta, iš kurios čia pateko. Saro nubraižytas planas buvo labai tikslus, galėjo juo vadovautis. Garsas priminė zyzimą, kokiu lyjant kartais zvimbia aukštos įtampos elektros laidai, tik šis labiau įvairavo, buvo melodingesnis, kartais nutrūkstantis ir vėl pasigirstantis jau kitoje tonacijoje. Montalbanas ėjo lėtai, saugodamasis neužkliūti už akmenų ir kitokio laužo, kuriuo buvo nuklotas siauras tarpas tarp dviejų sienų, kai staiga akies kampu pro plyšį pamatė kitą vyrą, lygiai su juo slenkantį gamyklos viduje. Šoktelėjo atgal, neabejodamas, kad anas irgi jį pastebėjo. Nebuvo kada gaišti, tas vyras galėjo būti ne vienas, todėl staiga šoko pirmyn, atkišęs ginklą, rėkdamas:

– Stot! Policija!

Netruko nė šimtosios sekundės dalies, kad suprastų, jog anas laukė tokio jo žingsnio, irgi sulinkęs pusiau, atkišęs pistoletą. Montalbanas iššovė ir krito ant žemės, krisdamas šovė dar du kartus. Bet išgirdo visai ne tai, ko tikėjosi – ne atsakomąjį šūvį, dejonę, nubėgančius žingsnius – išgirdo kurtinamą sprogimą ir dūžtančio stiklo skambėjimą. Staiga supratо ir jį suėmė toks baisus juokas, kad nepajėgė atsistoti. Jis šovė į save patį, į savo atvaizdą aprūkusiame, purviname, tarp griuvėsių išlikusiame lange.

– Šito niekam negalėsiu pasakoti, – ištarė pats sau. – Man lieptų rašyti pareiškimą ir spirte išspirtų iš policijos.

Rankoje tebelaikomas ginklas dabar jam atrodė juokingas, užsikišo jį už kelnių diržo. Šūviai, nusitęsiantis jų aidas, dūžtantis stiklas buvo užgožę gaudesį, kuris ir vėl pasigirdo, kiek kitoks. Tuomet suprato. Tai buvo vėjas, kiekvieną dieną, taip pat ir vasarą, siautęs šiame pajūrio ruože, nurimstantis tik vakare, lyg nenorintis trukdyti Džedžės verslui. Vėjas, įsisukęs į metalinius pastolius, tai sutrūkinėjusius, tai vis dar įtemptus laidus, skylėtus kaminus, panašius į milžiniškas dūdeles, mirusioje gamykloje grojo savo lopšinę ir komisaras sužavėtas sustojo paklausyti.

Iki Saro nurodytos vietos ėjo apie pusvalandį, retkarčiais ropšdamasis per griuvėsių krūvas. Pagaliau suvokė atėjęs tiksliai į tą vietą, kur anapus tvoros Saras rado papuošalą. Ramiai apsidairė. Nuo saulės pageltę laikraščiai ir popiergaliai, piktžolės, kokakolos buteliukai (lengvos skardinės neperlėkdavo per aukštą sieną), vyno buteliai, sulūžęs metalinis karutis, padangos, gelžgaliai, kažkoks neaiškus daiktas, surūdijusi santvara. Greta jos – elegantiškas, naujutėlaitis, firminis odos rankinukas, maišelio formos. Jis visai netiko prie šlamšto, gulėjusio aplink. Montalbanas jį atidarė. Viduje rado du didokus akmenis, matyt, įdėtus kaip balastą, kad rankinė neužkliūdama nulėktų iš anapus į šiapus sienos, ir nieko daugiau. Metaliniai savininkės inicialai nuplėšti, bet aiškiai matėsi odoje įsispaudusios raidės: I. ir S. Ingrid Sjostrom.

„Lyg patiekta ant sidabrinio padėklo", – pagalvojo Montalbanas.

Dešimt

Mintis, kad reikėtų priimti taip maloniai pasiūlytą patiekalą šovė ruošiantis valgyti didžiulę porciją keptų saldžiųjų pipirų, kuriuos šaldytuve jam paliko Adelina. Telefonų knygoje surado Džakomo Kardamonės telefono numerį, tokiu metu švedė tikrai turėjo būti namuose.

– Kas yra tu, kuris kalba?

– Džiovanis, ar Ingrid namie?

– Aš dabar pažiūrėti, tu laukti.

Pabandė suprasti, iš kurios pasaulio šalies toji kambarinė nukrito į Kardamonės namus, bet nepavyko.

– Sveikas, didžiapimpi, kaip sekasi?

Balsas buvo žemas, kimus, derantis prie Dzito aprašymo, tačiau ištarti žodžiai komisarui nepadarė jokio erotinio poveikio, priešingai, jį suneramino: iš visų pasaulio vardų jam pavyko išrinkti kaip tik priklausantį vyrui, kurio Ingrid žinojo net anatominius matmenis.

– Tu vis dar ten? Gal užmigai stovėdamas? Kiek šiąnakt patvarkei, gašlūne?

– Ponia, atsiprašau, bet...

Ingrid sureagavo iškart, be nuostabos ar pasipiktinimo, tiesiog konstatuodama faktą.

– Tu ne Džiovanis.

77

– Ne.

– Tai kas tuomet?

– Policijos komisaras, mano pavardė Montalbanas.

Laukė nerimo kupino klausimo, bet teko nusivilti.

– O, puiku! Policininkas! Ko tau iš manęs reikia?

Ji ir toliau kreipėsi „tu", nors žinojo, kad kalba su nepažįstamu žmogum. Montalbanas nusprendė likti prie „jūs".

– Norėčiau su jumis pasikalbėti.

– Šią popietę negaliu, bet vakare esu laisva.

– Gerai, šį vakarą tinka.

– Kur? Ateiti į komisariatą? Pasakyk adresą.

– Verčiau susitikime ramesnėje vietoje.

Ingrid patylėjo.

– Tavo miegamajame? – moters balsas darėsi irzlus. Matyt, pagalvojo, kad kitame laido gale kalba koks nors kvailys, bandantis su ja suartėti.

– Ponia, suprantu jūsų nepasitikėjimą. Susitarkime taip: po valandos būsiu Vigatos komisariate, galite ten paskambinti ir paprašyti sujungti su manim. Sutarta?

Moteris atsakė ne iš karto, mąstė, paskui apsisprendė.

– Tikiu tavim, policininke. Kur ir kelintą?

Jie sutarė susitikti bare „Marinella", kuris tą valandą – dešimtą vakaro – turėjo būti gerokai ištuštėjęs. Montalbanas paprašė niekam nieko nesakyti, net vyrui.

Luparelų šeimos vila stovėjo Montelūzos pakraštyje, prie jūros – masyvus devynioliktojo amžiaus statinys, apjuostas aukšta mūrine tvora su kaltos geležies varteliais viduryje, kurie dabar buvo plačiai atverti. Montalbanas perėjo ūksminga alėja, kertančia dalį parko, ir priėjo praviras lauko duris su dideliu juodu kaspinu vienoje pusėje. Dirstelėjo vidun: erdviame vestibiulyje būriavosi koks dvidešimt žmonių, vyrų ir moterų, veidų išraiškos priderintos prie aplinkybių, balsai prislopinti. Jam pasirodė nederama eiti pro susirinkusius, kas nors galėjo jį atpažinti ir pradėti svarstyti, kodėl jis čia. Todėl pasuko aplink vilą, kol pagaliau pasiekė užpakalines duris, jos buvo uždarytos. Paspaudė skambutį, turėjo jį spustelėti dar kelis kartus, kol durys pagaliau atsivėrė.

– Jūs suklydote. Užuojautos pro pagrindines duris, – tarė jauna, guvi kambarinė su juoda prijuoste ir kyku, akimirksniu įvertinusi jį kaip nepriklausantį tiekėjų kategorijai.

– Aš – komisaras Montalbanas. Ar galėtumėte pranešti kuriam nors iš šeimos narių, kad atvykau?

– Pone komisare, jūsų laukia.

Palydėjo jį ilgu koridoriumi, atidarė kažkurias duris, mostelėjo kviesdama įeiti. Montalbanas atsidūrė didžiulėje bibliotekoje, tūkstančiai knygų rikiavosi ilgose lentynose. Viename kampe – didelis rašomasis stalas, priešingame – subtiliai elegantiškas svetainės kampelis, sofa, staliukas ir du krėslai. Sienas puošė penki paveikslai, ir Montalbanas susijaudinęs akimirksniu atpažino jų autorius. Gutūzo valstietis, sukurtas penktajame dešimtmetyje, Meli teptukui priklausantis Lacijaus rajono gamtovaizdis, Mafai griovimo scena, Dongi du irkluotojai Tibro upe, Fausto Pirandelo mauduolė. Puikus skonis, tikslus pasirinkimas. Durys atsivėrė, įėjo vyriškis, trisdešimtmetis, su juodu kaklaryšiu, atviro veido, elegantiškas.

– Esu tas, kuris jums skambino. Dėkoju, kad atvykote, mama labai norėjo su jumis susitikti. Atleiskite už sutrukdymą, – kalbėjo taisyklinga italų kalba, be vietos dialekto intonacijų.

– Ką jūs, jokio trukdymo, tik nesuprantu, kuo jūsų motinai galėčiau būti naudingas.

– Aš mamai sakiau tą patį, bet ji primygtinai prašė. Ir nenorėjo man atskleisti priežasties, dėl kurios pageidavo jus sutrukdyti.

Jis įdėmiai apžiūrinėjo savo dešinės rankos pirštus, tarsi matytų juos pirmą kartą, paskui atsikrenkštė.

– Komisare, prašau supratimo.

– Atleiskite?

– Prašau supratimo mano mamai, jai teko daug išgyventi.

Jis pasuko durų link, paskui staiga sustojo.

– Komisare, norėčiau jus įspėti, kad neatsidurtumėte nepatogioje padėtyje. Mama žino, kaip ir kur mirė tėtis. Neįsivaizduoju, kas jai pasakė. Bet jau po dviejų valandų, kai buvo rastas kūnas, ji tai žinojo. Jums leidus.

Montalbanas pajuto palengvėjimą: jei našlė jau viską žino, jam nereikės taukšti niekų, slepiant nepadorias vyro mirties aplinkybes. Jis vėl su pasimėgavimu įsižiūrėjo į paveikslus. Savo namuose Vigatoje turėjo tik Karmasio, Atardžio, Gvidos, Kordijo ir Andželo Kanevario piešinius ir graviūras – tiek išgalėjo iš savo kuklaus atlyginimo, tokios drobės kaip kuri nors iš čia esančių niekada nebūtų pajėgęs nusipirkti.

– Patinka?

Staiga atsisuko, negirdėjo, kaip įėjo ponia – neaukšta, ryžtinga šešiasdešimtmetė, smulkių raukšlių išvagotu veidu, dar nespėjusių suardyti gražių jos bruožų, priešingai, išryškinusių žalių, skvarbių akių grožį.

– Prašom, sėskitės.

Ji atsisėdo ant sofos, palikdama komisarui vieną iš krėslų.

– Gražūs paveikslai, aš nelabai nusimanau tapyboje, bet man jie patinka, namuose yra koks trisdešimt. Juos pirko mano vyras, tapyba buvo jo slaptoji yda, taip mėgdavo sakyti. Deja, tokia ji buvo ne vienintelė.

„Nekokia pradžia", – pagalvojo Montalbanas ir paklausė:

– Ponia, ar jums jau geriau?

– Geriau palyginti su kada?

Komisaras sutriko, pasijuto lyg mokinys prieš mokytoją, užduodančią sunkų klausimą.

– Na, nežinau, lyginant su šįryt... Girdėjau, Katedroje jums pasidarė bloga.

– Bloga? Elgiausi deramai aplinkybėms. Ne, mielas drauge, apsimečiau alpstanti, tai aš moku. Tiesiog pagalvojau, jei koks nors teroristas susprogdintų tą bažnyčią su mumis visais viduje, kartu išnyktų ir geras dešimtadalis pasaulyje paplitusios veidmainystės. Tuomet pasistengiau, kad mane iš ten išneštų.

Sukrėstas moters nuoširdumo, Montalbanas nežinojo, ką sakyti, laukė, kad ši ir vėl prabiltų.

– Kai vienas žmogus man pasakė, kur buvo rastas mano vyras, paskambinau vyriausiajam policijos komisarui ir paklausiau, ar vyksta tyrimas ir kas jam vadovauja. Komisaras man pasakė jūsų vardą, pridurdamas, kad esate doras žmogus. Negalėjau patikėti, nejaugi dar yra dorų žmonių? Todėl ir paprašiau, kad jums paskambintų.

– Ponia, man lieka jums tik padėkoti.

– Susitikome ne tam, kad apsikeistume komplimentais. Nenorėčiau jūsų gaišinti. Ar jūs visiškai tikras, jog tai nebuvo žmogžudystė?

– Visiškai.

– Tuomet kokių turite abejonių?

– Abejonių?

– Taip, mielas drauge, turite jų turėti. Kitaip negalima paaiškinti jūsų nenoro užbaigti tyrimą.

– Ponia, būsiu atviras. Tai tik nuojauta, nuojauta, kurios neturėčiau ir negalėčiau sau leisti, nes mirtis buvo visiškai natūrali ir tokiomis aplinkybėmis mano elgesys turėtų būti visiškai kitoks. Jei jūs neturite ko pridurti, šį pat vakarą pranešiu teisėjui...

– Aš turiu ką pridurti.

Montalbanas nutilo priblokštas.

– Nežinau, kokios jūsų nuojautos, – tęsė ponia Luparelo, – bet atskleisiu savąsias. Silvijus buvo gudrus ir ambicingas vyras ir nusprendęs tiek metų tūnoti šešėlyje neabejotinai turėjo aiškų tikslą: atėjus laikui iškilti į paviršių ir ten pasilikti. Ar jūs galite patikėti, kad šis žmogus, sugaišęs šitiek laiko kantriai siekdamas to, ką pagaliau pasiekė, vieną gražų vakarą nutartų vykti su kokia nors pasileidusia moterimi į prastos šlovės vietą, kur jį kas nors gali atpažinti, o vėliau šantažuoti?

– Ponia, tai – vienas iš klausimų, sutrikdžiusių mane labiau nei kiti.

– Norite dar labiau sutrikti? Pasakiau pasileidusia moterimi, bet norėčiau paaiškinti, kad nekalbėjau apie prostitutę ar kitokią moterį už pinigus. Nemoku to apsakyti. Pasakysiu tik viena: vos susituokus, Silvijus man prisipažino savo gyvenime niekada neturėjęs santykių su prostitute ar kada nors lankęsis viešnamyje, kai jie dar veikė. Kažkas jį stabdė. Todėl lieka neatsakytas klausimas: kas buvo ta moteris, įkalbėjusi jį santykiauti toje siaubingoje vietoje.

Montalbanas irgi niekada nebuvo turėjęs santykių su prostitute ir tikėjosi, kad naujos žinios apie Luparelą neatskleis kitų sąlyčio taškų tarp jo ir to žmogaus, su kuriuo nebūtų norėjęs laužti duonos riekės.

– Matote, mano vyras tenkindavo visus savo įgeidžius, bet niekada nejautė potraukio nusižeminti, nesižavėjo žemais dalykais, pasak vieno prancūzų rašytojo. Savo meile jis santūriai mėgaudavosi namuke, kurį pasistatydino ne savo vardu, pačiame Masarijos kyšulio smaigalyje. Kaip įprasta, sužinojau tai iš savo mielaširdingos draugės.

Ji atsistojo, priėjo prie rašomojo stalo, ištraukė vieną stalčių ir vėl atsisėdo, laikydama rankose didelį geltoną voką, metalinį žiedą su dviem raktais ir padidinamąjį stiklą. Raktus ištiesė komisarui.

– Kai dėl raktų, jis buvo tiesiog maniakas. Visų turėjo po du, vieną komplektą laikydavo šitame stalčiuje, kitą visada nešiodavosi su savim. Beje, pastarasis taip ir nesurastas.

– Ar inžinieriaus kišenėse jo nebuvo?

– Ne. Jo nebuvo nė inžinieriaus biure. Nerado jo ir kitoje, vadinkim, politinėje darbo vietoje. Jis išnyko, išgaravo.

– Galėjo pamesti kur nors pakeliui. Nebūtinai jį kas nors turėjo pavogti.

– Tai neįmanoma. Matote, mano vyras turėjo šešis raktų ryšulius. Vieną – nuo šitų namų, kitą – nuo namų kaime, trečią – nuo namų pajūryje, ketvirtą – nuo biuro, penktą – nuo politinio darbo kabineto, šeštą – nuo namuko. Visus juos laikydavo automobilio stalčiuke. Kaskart paimdavo tą ryšulį, kurio jam tuo metu reikėdavo.

– Mašinoje jų nerado?

– Ne. Daviau nurodymą pakeisti visus užraktus. Išskyrus namuke, apie kurio egzistavimą aš oficialiai nieko nežinau. Jei norite – galite ten užsukti, neabejotinai rasite jo meilės pėdsakų.

Žodžiai „jo meilės" jos lūpose suskambo jau antrą kartą, ir Montalbanas panūdo ją paguosti.

– Neminint, kad inžinieriaus meilė nėra mano tyrimų objektas, esu surinkęs truputį informacijos ir atvirai jums pasakysiu, kad visi mano gauti atsakymai yra labai bendri, tinkami kiekvienam.

Ponia žiūrėjo į jį vos matomai šypsodamasi.

– Žinote, niekada nesu jam dėl to priekaištavusi. Praėjus dvejiems metams nuo tos dienos, kai gimė mūsų sūnus, mano vyras ir aš jau nebebuvome pora. Todėl turėjau progą trisdešimt metų stebėti jį, ramiai, taikiai, audringų jausmų neaptemdytu žvilgsniu. Atleiskite, jūs manęs nesupratote: sakydama „jo meilė", stengiausi nepabrėžti lyties.

Montalbanas susigūžė, dar giliau prasmegdamas krėsle. Pasijuto lyg gavęs galingą smūgį į galvą.

– Tačiau, – tęsė ponia, – grįžtant prie labiausiai mane dominančios temos, esu tikra, kad įvykdytas nusikaltimas, leiskite baigti, ne žmogžudystė, fizinis sunaikinimas, o politinis nusikaltimas. Buvo įvykdytas negailestingas smurtas, sukėlęs jo mirtį.

– Ponia, gal malonėtumėt paaiškinti.

– Esu tikra, kad mano vyrą jėga arba šantažu privertė vykti ten, kur jis vėliau buvo rastas, į tą pasibjaurėtiną vietą. Jie turėjo planą, tačiau nespėjo jo įgyvendinti, nes jo širdis neišlaikė įtampos, o, gali būti, ir baimės. Žinote, jis labai sirgo. Jam buvo padaryta sunki operacija.

– Bet kaip galėjo jį priversti?

– Nežinau. Tikiuosi, jūs galėtumėt man padėti. Matyt, jam surengė pasalą, ir jis nebepajėgė priešintis. Gal toje pasibjaurėtinoje vietoje ruošėsi jį nufotografuoti, atpažinti. Nuo tos akimirkos būtų laikę mano vyrą savo rankose, tarsi marionetę.

– Kas?

– Manau, jo politiniai priešininkai arba koks verslo partneris.

– Matote, ponia, jūsų samprotavimas, ne, jūsų prielaida turi vieną didelį trūkumą: jo negalima pagrįsti.

Moteris atidarė geltonąjį voką, kurio visą tą laiką nepaleido iš rankų, ir ištraukė iš jo nuotraukas. Tai buvo tos nuotraukos, kuriose ekspertizės vyrai įamžino avių aptvare rastą lavoną.

– O, Viešpatie, – sumurmėjo Montalbanas ir jį nukrėtė šiurpas. Priešingai, moters nuotraukos tarsi visai netrikdė.

– Iš kur jas gavote?

– Turiu gerų draugų. Jūs jas matėte?

– Ne.

– Blogai.

Ji atrinko vieną iš nuotraukų ir ištiesė Montalbanui kartu su didinamuoju stiklu.

– Štai, gerai įsižiūrėkite į šitą. Kelnės nuleistos ir matyti boluojančios kelnaitės.

Montalbaną pylė prakaitas, toks sumišimas jį erzino, bet nieko negalėjo padaryti.

– Nematau nieko keista.

– Tikrai? O kelnaičių etiketė?

– Taip, matau ją. Na ir kas?

– Tas, kad neturėtumėt jos matyti. Šios rūšies kelnaitėse – jei nueitumėt su manim į mano vyro miegamąjį, parodyčiau jų daugiau – etiketė prisiūta užpakalinėje pusėje, viduje. Jei jūs ją matote taip, kaip matote ją dabar, tai reiškia, kad kelnaitės apmautos atvirkščiai. Ir nebandykite man sakyti, kad Silvijus jas taip apsimovė ryte, rengdamasis, ir to nepastebėjo. Jis gėrė šlapimą varančius vaistus, todėl jam dažnai tekdavo eiti į tualetą, bet kada būtų galėjęs persimauti jas teisingai. Tai gali reikšti tik vieną dalyką.

– Kokį? – paklausė komisaras, sutrikdytas tokio aiškaus ir negailestingo tyrimo, atlikto be ašarų, tarsi mirusysis būtų tik tolimas pažįstamas.

– Kad netikėtai užkluptas jis buvo nuogas ir turėjo rengtis skubėdamas. O nuogas galėjo būti tik namelyje Masarijos kyšulyje. Štai kodėl daviau jums raktus. Kartoju: tai – nusikaltimas prieš mano vyro įvaizdį, tik pusiau pavykęs. Norėjo padaryti iš jo kiaulę, kurią būtų galima kiekvieną akimirką atiduoti sudraskyti kitoms kiaulėms. Aišku, būtų buvę geriau, jei jis nebūtų numiręs: po jo priedanga būtų galėję daryti, kas jiems patinka. Tačiau planas iš dalies pavyko; visi mano vyro žmonės išstumti iš naujosios vadovybės. Tik Ricui pavyko išsigelbėti, negana to, jis iš to pasipelnė.

– Kaip tai?

– Jei norėsite, pats sužinosite. Arba galite galvoti apie formą, kurią jie suteikė vandeniui.

– Atleiskite, nesupratau.

– Aš – ne sicilietė, esu iš Groseto, atvažiavau į Montelūzą su tėvu, kuris čia buvo paskirtas prefektu. Turėjome žemės ir namą Amiatos papėdėje, ten leisdavome atostogas. Turėjau draugą, kaimiečių vaiką, jis buvo už mane jaunesnis. Aš buvau gal dešimties. Vieną dieną pamačiau, kaip mano draugas ant šulinio rentinio išrikiavo vandens sklidinus dubenėlį, puodelį, arbatinuką, stačiakampę skardinę ir įdėmiai juos stebėjo. „Ką čia darai?“, – paklausiau. O jis savo ruožtu paklausė manęs: „Kokia vandens forma?“ „Vanduo neturi formos!“, – atsakiau nusijuokdama. „Jis tokios formos, kokią jam suteikia.“

Tą akimirką kambario durys atsivėrė ir pro jas įžengė angelas.

Vienuolika

Angelas – tinkamesnis vardas Montalbanui neatėjo į galvą – buvo jaunuolis, kokių dvidešimties metų, aukštas, šviesiaplaukis, įrudęs, lieknas, apgaubtas moteriškumo auros. Valiūkiškas saulės spindulys nušvietė jį vos tik peržengė slenkstį, išryškindamas apoloniškus veido bruožus.

– Teta, ar galiu užeiti?

– Taip, Džordžai, užeik.

Kol jaunuolis ėjo sofos link, lengvai, tarsi kojos slystų grindimis jų neliesdamos, ėjo ne tiesiai, o linkiais, prisiliesdamas prie pakeliui pasitaikančių daiktų, ne, ne prisiliesdamas, o švelniai juos glostydamas, Montalbanas pagavo šeimininkės žvilgsnį, raginantį įsikišti į kišenę rankose laikytas nuotraukas. Jis pakluso, našlė irgi mikliai sukišo likusias nuotraukas į geltonąjį voką, kurį pasidėjo ant sofos greta savęs. Jaunuoliui prisiartinus, komisaras pastebėjo, kad jo žydros akys paraudusios, išpurtusios nuo verkimo, pajuodusiais paakiais.

– Teta, kaip jautiesi? – paklausė dainingai, elegantiškai priklaupdamas prie moters ir padėdamas galvą jai ant kelių. Montalbano atmintyje lyg prožektoriaus šviesoje iškilo ryškus paveikslas, kažkur matytas, tik neprisiminė, kur: anglų dama su skaliku lygiai tokioje pat padėtyje kaip jaunuolis.

– Tai – Džordžas, – tarė ponia. – Džordžas Dzikaris, mano

sesers Elizos sūnus, ji ištekėjusi už Ernesto Dzikario, kriminalinių bylų tardytojo, gal jį pažįstate.

Kalbėdama glostė jo plaukus. Neatrodė, kad Džordžas suprato nors vieną jos žodį, pasinėręs į savo begalinį sielvartą jis nė nepasisuko į komisarą. Kita vertus, ponia apdairiai neprasitarė sūnėnui, kas yra Montalbanas ir ką jis veikia šiuose namuose.

– Ar šiąnakt miegojai?

Atsakydamas Džordžas tik papurtė galvą.

– Tuomet padaryk štai ką. Matei, yra atėjęs daktaras Kapuanas. Eik pas jį, tegul išrašo tau stiprių migdomųjų, ir eik pailsėti.

Džordžas tylėdamas atsistojo, nuskriejo grindimis tuo savo keistu vingiuotu būdu ir išnyko už durų.

– Prašau jam atleisti, – tarė ponia. – Džordžas labiausiai iš mūsų visų išgyveno ir išgyvena mano vyro mirtį. Matote, norėjau, kad mano sūnus studijuotų ir išsikovotų sau vietą nepriklausomai nuo tėvo, toli nuo Sicilijos, dėl priežasčių, kurias, manau, galite nuspėti. Todėl Stefano vietoje mano vyras visą savo meilę išliejo sūnėnui, o šis jį tiesiog dievino ir net persikėlė pas mus gyventi, dideliam mano sesers ir jos vyro liūdesiui, kurie pasijuto apleisti.

Ji pakilo, taip pat ir Montalbanas.

– Komisare, pasakiau jums tai, ką maniau esant reikalinga pasakyti. Žinau, kad pasitikėjau doru žmogumi. Jei tik reikės, skambinkite man bet kuriuo paros metu. Nesistenkite manęs tausoti, esu vadinamoji stipri moteris. Bet kuriuo atveju vadovaukitės savo sąžine.

– Ponia, man jau kuris laikas knieti paklausti: kodėl nepasirūpinote pranešti, kad jūsų vyras negrįžo... kitaip tariant, ar tai, kad jūsų vyras tą naktį negrįžo namo, jūsų nesuneramino? Ar ir anksčiau taip atsitikdavo?

– Taip. Bet tą sekmadienio vakarą jis man paskambino.

– Iš kur?

– Negalėčiau pasakyti. Pranešė, kad jo laukia svarbus susirinkimas ir grįš namo vėlai arba visai negrįš nakvoti.

Ji ištiesė ranką ir komisaras, pats nesuprasdamas kodėl, suėmė ją savosiomis ir pabučiavo.

Vos išėjęs pro užpakalines vilos duris, netoliese ant akmeninio suoliuko pamatė sėdintį Džordžą, dvilinką, tampomą traukulių. Montalbanas susirūpinęs priėjo ir pastebėjo, kaip iš jaunuolio rankų iškrito geltonas vokas, o ant žemės pabiro nuotraukos. Matyt, klūpodamas prie tetos, pastūmėtas nesuvaldomo smalsumo, jis buvo jį paėmęs.

– Jums bloga?

– Ne taip, Viešpatie, tik ne taip!

Džordžas kalbėjo slopiu balsu, akys žvelgė lyg stiklinės, nematydamos greta stovinčio komisaro. Akimirka, ir jis sustingo, nukrisdamas atbulas nuo suoliuko be atkaltės. Montalbanas priklaupė greta, bandydamas kaip nors atgaivinti traukulių tampomą kūną su lūpų kampučiuose ištiškusiomis putomis.

Stefanas Luparelas išėjo pro vilos duris, apsidairė, pamatęs, kas nutiko, puolė prie jų.

– Vijausi jus, norėdamas atsisveikinti. Kas atsitiko?

– Manau, epilepsijos priepuolis.

Jie pasirūpino, kad priepuolio kulminacijoje Džordžas nenusikąstų liežuvio ir nesusitrenktų galvos. Paskui jaunuolis nurimo, ji krėtė tik lengvas drebulys.

– Padėkite įnešti jį į vidų, – paprašė inžinierius.

Kambarinė, ta pati, kuri atidarė duris, atbėgo į pirmąjį inžinieriaus šūksnį.

– Nenorėčiau, kad mama jį tokį pamatytų.

– Pas mane, – tarė mergina.

Jie sunkiai ėjo koridoriumi, ne tuo pačiu, kuriuo pirma ėjo komisaras, Montalbanas laikė Džordžą už pažastų, Stefanas nešė už kojų. Pasiekus tarnų sparną, kambarinė atidarė vienas iš durų. Uždusę paguldė jaunuolį į lovą. Džordžas atrodė giliai įmigęs.

– Padėkite jį nurengti, – tarė Stefanas.

Tik kai jaunuolis liko su trumpikėmis ir marškinėliais, Montalbanas pastebėjo, kad pasmakrės oda labai balta, skirtingai nei saulėje įrudęs veidas ir krūtinė.

– Gal žinote, kodėl jis neįdegęs kaklo? – paklausė Luparelo.

– Nežinau, – atsakė inžinierius, – grįžau į Montelūzą tik pirmadienį po pietų, po daugelio mėnesių.

– Aš žinau, – įsiterpė kambarinė. – Ponaitis susižeidė, buvo patekęs į avariją. Tik prieš savaitę nusiėmė kaklo įtvarą.

– Kai atsigaus ir jau pajėgs suvokti, pasakykite, kad rytoj ryte apie dešimtą užeitų į komisariatą Vigatoje, – tarė Montalbanas Stefanui.

Paskui grįžo prie suoliuko, pakėlė nuo žemės voką ir nuotraukas – Stefanas jų nepastebėjo – ir įsikišo į kišenę.

Masarijos kyšulys buvo gal per šimtą metrų nuo San Filipo posūkio, tačiau komisarui nepavyko įžiūrėti namo, kuris turėjo stovėti pačiame kyšulio gale, bent taip jam buvo sakiusi ponia Luparelo. Jis vėl pradėjo važiuoti, labai lėtai. Privažiavęs kyšulį, tarp kuplių žemų medžių pastebėjo nuo pagrindinio kelio atsišakojantį keliuką. Pasuko juo ir netrukus privažiavo vartus – vienintelį kelią pro akmeninę sieną, visiškai atskyrusią jūros skalaujamą kyšulio dalį. Raktai tiko. Montalbanas paliko mašiną šiapus vartų ir nužingsniavo sodo takeliu, grįstu kalkakmenio luitais. Jis baigėsi laipteliais, irgi iš kalkakmenio, kuriais nusileido į nedidelę aikštelę, čia pamatė duris į namą, nematomą iš sausumos pusės, nes pastatytą lyg erelio lizdas, tarsi oloje būtų iškirstas prieglobstis, kokių pasitaiko kalnuose.

Įėjęs atsidūrė erdvioje svetainėje su vaizdu į jūrą, teisingiau, pakibusioje virš jūros, įspūdį dar sustiprino stiklinė siena, jauteisi lyg stovėtum laivo denyje. Visur ideali tvarka. Kampe pietų stalas ir keturios kėdės, sofa ir du krėslai, pasukti į stiklinę sieną, devynioliktojo amžiaus indaujoje matėsi taurės, lėkštės, vyno buteliai, ant jos stovėjo televizorius ir vaizdo grotuvas. Greta, ant žemo staliuko, rikiavosi vaizdajuostės su filmais, pornografiniais ir ne. Svetainėje buvo trejos durys, pirmosios vedė į nedidelę švarią virtuvę, jos spintelės buvo prikimštos maisto produktų, bet šaldytuvas pustuštis, čia stovėjo tik keli buteliai šampano ir degtinės. Erdvus vonios kambarys kvepėjo lizoformu. Ant lentynėlės po veidrodžiu išdėliota elektrinė skutimosi mašinėlė, dezodorantai, buteliukas odekolono. Miegamajame, kur pro didelį langą irgi matėsi jūra, stovėjo paklode užklota plati lova, dvi spintelės, ant vienos iš jų telefonas, trijų durų spinta. Lovugalyje ant sienos – Emilijo Greko paveikslas, gašlus aktas. Montalbanas ištraukė spintelės su telefonu stalčių, neabejojo, kad šitoje pusėje paprastai miegodavo inžinierius. Trys prezervatyvai, šratinukas, bloknotas baltais lapais. Ko nepašoko pamatęs pistoletą, pačioje stalčiuko gilumoje, septynių ir septyniasdešimt penkių kalibro, užtaisytą. Antrosios spintelės stalčius buvo tuščias. Atidarė kairiąsias spintos duris, viduje kabėjo du vyriški kostiumai. Viršutiniame stalčiuje – marškiniai, trejos trumpikės, nosinės, apatiniai marškinėliai. Patikrino trumpikes, ponia sakė tiesą, etiketė buvo vidinėje pusėje ir užpakalinėje dalyje. Apatiniame – pora lengvų odinių batų ir šliurės. Vidurines duris dengė veidrodis, jame atsispindėjo lova. Šioje spintos dalyje buvo trys lentynos, viršutinėje ir vidurinėje gulėjo skrybėlės, itališki ir užsieniniai žurnalai, skirti vienai temai – pornografijai, vibratorius, švarios paklodės ir užvalkalai. Apatinėje lentynoje – ant atitinkamų laikiklių užtraukti trys moteriški perukai: tamsiaplaukis, šviesiaplaukis ir raudonplaukis. Jie irgi galėjo būti inžinieriaus erotinių žaidimų dalis. Nustebo atvėręs dešiniąsias spintos duris: už jų kabėjo dvi labai elegantiškos suknelės. Dar – dveji džinsai ir keleri marškiniai. Viename iš stalčių gulėjo keletas mažyčių kelnaičių, nė vienos liemenėlės. Kitas stalčius buvo tuščias. Lenkdamasis pažvelgti giliau, Montalbanas staiga suprato, kas jį taip nustebino: ne suknelės, o nuo jų sklindantis kvapas. Toks pat, tik silpnesnis kvapas padvelkė senojoje gamykloje, vos praskleidus rankinę.

Daugiau nebuvo ko ieškoti, tik iš stropumo pasilenkė pažiūrėti po baldais. Apie vieną iš galinių lovos kojų pamatė apsivijusį kaklaryšį. Pakėlė jį, prisiminęs, kad inžinierius rastas prasegtais marškiniais. Išsitraukė iš kišenės nuotraukas ir įsitikino, kad kaklaryšio spalva puikiai tiko prie kostiumo, kuriuo savo mirties valandą vilkėjo inžinierius.

Komisariate rado sunerimusius Džermaną ir Galucą.

– O kur kapralas?

– Facijus su kitais išvažiavo į degalinę, kelyje į Marinelą, ten šaudė.

– Važiuoju. Ar man ką nors perdavė?

– Taip, ryšulį nuo pono Jakomucio.

Išvyniojo, ten buvo papuošalas, vėl suvyniojo.

– Džermana, tu važiuosi su manim į degalinę. Ten mane paliksi ir važiuosi toliau, į Montelūzą, mano mašina. Pakeliui pasakysiu, ką turėsi daryti.

Įėjęs į savo kabinetą, paskambino advokatui Ricui, pranešdamas, kad papuošalas jau vežamas, ir paprašydamas, kad tam pačiam policininkui įduotų čekį dešimčiai milijonų.

Važiuojant į susišaudymo vietą komisaras liepė Džermanai neduoti Ricui ryšulio, kol nelaikys rankose čekio, kurį turės nuvežti Sarui Montapertui – pasakė adresą – ir prisakyti jam, kad pasiimtų pinigus vos tik atsidarys bankas, rytoj aštuntą valandą ryto. Negalėjo paaiškinti, kodėl, ir tai siaubingai jį erzino, bet jautė, kad Luparelo byla sparčiai artėja į pabaigą.

– Paskui atvažiuosiu į degalinę jūsų paimti?

– Ne, važiuok į komisariatą. Sugrįšiu tarnybiniu automobiliu.

Policijos mašina ir privatus automobilis stovėjo užtvėrę kelią į degalinę. Vos išlipęs, akimis palydėdamas į Montelūzos kelią išsukantį Džermaną komisaras pajuto stiprų benzino kvapą.

– Žiūrėk, kur eini! – šūktelėjo jam Facijus.

Telkšančios benzino balos kvapas Montalbaną pykino ir svaigino. Degalinėje stovėjo automobilis su Palermo numeriais, suskilusiu priekiniu stiklu.

– Vairuotojas sužeistas, – pasakė kapralas. – Jį išvežė greitoji.

– Sunkiai?

– Menkniekis. Bet labai išsigando.

– Kas čia atsitiko?

– Gal norite pats pasikalbėti su degalinės patarnautoju...

Į komisaro klausimus vyriškis atsakinėjo tokiu šaižiu balsu, kad Montalbanas pasijuto, lyg klausytųsi nagu braižomo stiklo. Viskas įvyko maždaug taip: sustojo automobilis, jame sėdėjo tik vienas žmogus, jis paprašė pripilti pilną baką, degalinės patarnautojas įstatė siurblio antgalį į baką ir įjungė, užblokuodamas rankenėlę, nes tuo metu atvažiavo dar vienas automobilis, jo vairuotojas paprašė degalų už trisdešimt tūkstančių lirų ir patikrinti tepalus. Jam aptarnaujant antrąjį klientą, kelyje sustojęs automobilis paleido automato seriją ir nuvažiavo toliau. Pirmasis vairuotojas leidosi paskui jį, siurblio žarna išslydo iš bako, o benzinas ir toliau pylėsi. Antrojo automobilio vairuotojas rėkė lyg išprotėjęs, kulka nubrozdino jam petį. Po pirmųjų baimės akimirkų, supratęs, kad pavojus praėjo, degalinės patarnautojas puolė padėti sužeistajam, o benzinas ir toliau liejosi ant žemės.

– Ar matei pirmojo automobilio vairuotojo veidą, to, kuris puolė vytis?

– Niekaip ne.

– Ar esi tuo tikras?

– Tikrai taip, kaip tikras yra Dievas.

Tuo tarpu atvažiavo Facijaus iškviesti ugniagesiai.

– Padarysime štai ką, – tarė Montalbanas kapralui, – vos ugniagesiai baigs darbą, imi degalinės patarnautoją, kuriuo aš netikiu nė per plauką, ir atveži jį į komisariatą. Paspausk jį, jis puikiai žino, kas tas vyras, į kurį šovė.

– Aš irgi taip manau.

– Einam lažybų, kad tai – vienas iš Kufaro gaujos? Atrodo, šį mėnesį atėjo jų eilė?

– Norite ištraukti pinigus man iš kišenės! – nusijuokė kapralas. – Tas lažybas jūs jau laimėjot!

– Pasimatysim.

– Kur jūs? Gal pavežti tarnybiniu automobiliu?

– Einu namo persirengti. Iš čia pėsčiomis tik dvidešimt minučių. Truputis gryno oro man bus į naudą.

Ir jis nuėjo, nenorėjo susitikti su Ingrid Sjostrom apsitaisęs lyg manekenas.

Dvylika

Vos išėjęs iš dušo, dar nuogas ir varvantis, įsitaisė prieš televizorių. Rodė ryte įvykusias Luparelo laidotuves, operatoriai netruko suprasti, kad vieninteliai asmenys, galintys šiai nuobodžiai, oficialiai, į kitas panašiai ceremonijai suteikti šiokio tokio dramatizmo, tai – našlės, jos sūnaus Stefano ir sūnėno Džordžo trijulė. Ponia nevalingai retkarčiais papurtydavo galvą, tarsi sakydama „ne". Komentatorius tyliu, gedulingu balsu šį mostą aiškino kaip akivaizdų nenorą pripažinti įvykusį mirties faktą, tačiau operatoriui pritraukus našlės veidą ir akis, jose Montalbanas pamatė patvirtinimą to, ką ji jam jau buvo prisipažinusi: tose akyse tebuvo panieka ir nuobodulys. Greta sėdėjo sūnus, „suakmenėjęs iš skausmo", kalbėjo komentatorius, pavadindamas jį suakmenėjusiu tik todėl, kad jaunasis inžinierius atrodė santūriai abejingas. Džordžas, atvirkščiai, tirtėjo lyg medis vėjyje, pamėlęs, spausdamas rankose suglamžytą nosinę, springdamas ašaromis.

Suskambo telefonas, Montalbanas nuėjo atsiliepti neatitraukdamas akių nuo televizoriaus ekrano.

– Komisare, čia Džermana. Tvarka. Advokatas Ricas jums dėkoja ir sako, kad būtinai ras būdą atsilyginti.

Sklido gandas, kad kai kurių advokato būdų atsilyginti jo kreditoriai mielai būtų išvengę.

93

– Paskui nuvažiavau pas Sarą ir atidaviau čekį. Teko įtikinėti, jie niekaip nenorėjo patikėti, manė, kad tai pokštas, paskui puolė bučiuoti man rankas. Nekartosiu, kokiomis malonėmis Viešpats, jų nuomone, turėtų jus už tai apipilti. Automobilį palikau prie komisariato. Gal atvežti jums į namus? Komisaras pažvelgė į laikrodį, iki susitikimo su Ingrid dar buvo kiek daugiau nei valanda.

– Gerai, bet gali neskubėti. Atvažiuok pusę dešimtos. Paskui aš parvešiu tave atgal.

Jis nenorėjo praleisti apsimestinio nuoalpio akimirkos, jautėsi lyg žiūrovas, kuriam iliuzionistas atskleidė triuko paslaptį, todėl dabar galėjo gėrėtis ne staigmena, o rankų miklumu. Tačiau tą akimirką pražiopsojo operatorius, nespėjęs laiku jos nufilmuoti, nors ir labai skubėjo pasukti kamerą nuo ministro veido stambiu planu į šeimos būrelį, kur Stefanas su dviem padėjėjais nešė ponią lauk, o Džordžas liko sėdėti savo vietoje, nepaliaujamai tirtėdamas.

Prie komisariato Montalbanas išlipo kartu su Džermana. Rado iš Montelūzos sugrįžusį Facijų, kuriam pavyko pasikalbėti su pagaliau nurimusiu sužeistuoju. Kapralas pasakė, kad tai buvo buitinių elektros prietaisų platintojas iš Milano, kuris kas tris mėnesius sėsdavo į lėktuvą, nusileisdavo Palerme, išsinuomodavo mašiną ir apvažiuodavo parduotuves. Sustojęs degalinėje, pasilenkė perskaityti ant lapo užrašytą kitos parduotuvės adresą, o paskui išgirdo šūvius ir petyje pajuto veriamą skausmą. Jo pasakojimas Facijui atrodė tikėtinas.

– Komisare, sugrįžęs į Milaną jis tikrai susidės su tais, kurie nori atskirti Siciliją nuo šiaurinės Italijos.

– O degalinės operatorius?

– Su juo kas kita. Džalombardas jį dabar apdoroja, juk žinote, koks jis, vos susitikęs su juo kalbiesi lyg būtum pažįstamas šimtą metų, ir tik paskui susizgrimbi papasakojęs tokias paslaptis, kurių neatskleistum nė kunigui per išpažintį.

Šviesos buvo išjungtos, durys ir langai užtraukti, Montalbanas pataikė pasirinkti dieną, kai „Marinelos" baras būdavo uždarytas. Pastatė mašiną ir ėmė laukti. Nepraėjus nė poros minučių atvažiavo dvivietis automobilis, raudonas, plokščias lyg plekšnė. Ingrid atidarė dureles ir išlipo. Kad ir blausioje žibinto šviesoje, komisaras pamatė, kad ji gražesnė nei įsivaizdavo: aptempti džinsai paryškino ilgas kojas, prasagstyti balti marškiniai užraitytomis rankovėmis, basutės, plaukai susegti ant pakaušio – tarsi nužengusi nuo žurnalo viršelio. Ingrid apsidairė, pastebėjo išjungtas šviesas, paskui vangiai, bet ryžtingai pasuko prie komisaro mašinos ir pasilenkė prie atviro lango.

– Matai, mano buvo tiesa! Kur dabar važiuosim? Pas tave?

– Ne, – atkirto piktas Montalbanas. – Sėsk.

Moteris pakluso ir automobilyje iškart pasklido komisarui jau pažįstamas kvapas.

– Kur važiuosim? – pakartojo moteris.

Ji nebesišaipė, nebepokštavo, būdama įžvalgi, pastebėjo vyro suirzimą.

– Turite laiko?

– Kiek tik reikia.

– Važiuosime ten, kur pasijusite patogiai, nes ten jau esate buvusi, pamatysite.

– O mano automobilis?

– Paskui jo atvažiuosime.

Jie pajudėjo, ir po kelių minučių tylos Ingrid paklausė, nors tą klausimą būtų turėjusi užduoti pačioje pradžioje.

– Kodėl norėjai susitikti?

Komisaras svarstė mintį, atėjusią jam, kai pakvietė ją sėsti į savo mašiną, tai buvo policininko verta mintis, bet jis juk toks ir yra.

– Norėjau su jumis susitikti, nes ruošiausi užduoti keletą klausimų.

– Klausyk, komisare, aš į visus kreipiuosi „tu", jei tu kreipsiesi į mane „jūs", jausiuosi nejaukiai. Kuo tu vardu?

– Salvas. Ar advokatas Ricas tau sakė, kad suradome papuošalą?

– Kokį?

– Kaip tai, kokį? Širdelę su deimantais.

– Ne, nesakė. Be to, aš neturiu su juo reikalų. Matyt, jis pasakė mano vyrui.

– Patenkink mano smalsumą, ar tu visada mėtai savo papuošalus, kad paskui galėtum jų ieškoti?

– Kodėl klausi?

– Todėl, kad aš sakau tau, jog radome tavo papuošalą, vertą šimtą milijonų lirų, o tu nė nemirkteli?

Ingrid slopiai nusijuokė.

– Man jie nepatinka. Matai?

Ji atkišo rankas.

– Nenešioju žiedų, net sutuoktuvių.

– Kur jį pametei?

Ingrid atsakė ne iš karto.

„Kartoja pamoką", – pagalvojo Montalbanas.

Paskui moteris pradėjo pasakoti, mechaniškai, tai, kad buvo užsienietė, nepalengvino melo naštos.

– Man buvo smalsu pamatyti tą avių aptvorą...

– Aptvarą, – pataisė Montalbanas.

– ... apie kurią tiek girdėjau. Įtikinau savo vyrą mane ten nuvežti. Kai atvažiavome, išlipau, paėjau kelis žingsnius, manęs vos neužpuolė, išsigandau, pabūgau, kad mano vyras neimtų aiškintis. Mes išvažiavome. Namuose pamačiau, kad papuošalo nebėra.

– Kodėl tą vakarą jį pasikabinai, jei nemėgsti papuošalų? Jis man neatrodo tinkamas avių aptvarui.

Ingrid sudvejojo.

– Pasikabinau jį, nes tą popietę buvau susitikusi su drauge, kuri norėjo jį pamatyti.

– Klausyk, – tarė Montalbanas, – noriu tau kai ką pasakyti. Kalbuosi su tavim kaip komisaras, bet neoficialiai, supratai?

– Ne. Ką reiškia neoficialiai? Nesuprantu.

– Reiškia, kad tai, ką man pasakysi, liks tik tarp mūsų. Kodėl tavo vyras savo advokatu pasirinko Ricą?

– Jam nereikėjo to daryti?

– Nereikėjo, bent jau vadovaujantis logika. Ricas buvo dešinioji inžinieriaus Luparelo ranka, taigi didžiausias tavo uošvio politinis priešininkas. Beje, ar pažinojai Luparelą?

– Iš matymo. Ricas visada buvo Džakomo advokatas. O aš apie politiką nieko neišmanau.

Ji išsirietė, atmesdama atgal rankas.

– Nuobodu. Gaila, maniau, kad susitikimas su policininku bus daug smagesnis. Ar galiu paklausti, kur važiuojame? Dar toli?

– Jau beveik atvažiavome, – atsakė Montalbanas.

Pravažiavus San Filipo posūkį moteris suirzo, kelis kartus akies kraštu dirstelėjo į komisarą, suniurnėjo:

– Šiose apylinkėse nerasime baro.

– Žinau, – atsakė Montalbanas ir sulėtinęs paėmė nuo sėdynės maišelio formos rankinę. – Noriu tau kai ką parodyti.

Ir padėjo rankinę jai ant kelių. Moteris pažvelgė į ją ir atrodė tikrai nustebusi.

– Iš kur tu ją gavai?

– Ji tavo?

– Aišku, kad mano, žiūrėk, čia mano inicialai.

Bet, pamačiusi, kad nėra raidžių, dar labiau apstulbo.

– Turbūt atsiklijavo, – pratarė pusbalsiu, abejodama. Ji jau pasimetė klausimų labirinte, į kuriuos nežinojo atsakymų, buvo akivaizdu, kad kažkas ją sutrikdė.

– Tavo inicialai vis dar yra, tik čia tamsu ir jų nematyti. Juos nuplėšė, bet odoje liko jų atspaudai.

– Kodėl juos nuplėšė? Ir kas tai padarė?

Dabar jos balse suskambo nerimo gaida. Komisaras neatsakė, tačiau puikiai žinojo, kodėl nuplėšė raides, būtent todėl, kad įtikintų jį, jog Ingrid norėjo nuslėpti, kam priklauso rankinė. Jie privažiavo keliuką į Masarijos kyšulį, ir Montalbanas, pagreitinęs lyg norėtų važiuoti tiesiai, staiga pasuko į jį. Akimirksniu, netarusi nė žodžio, Ingrid atidarė dureles, išlėkė iš mašinos ir nubėgo į mišką. Keikdamasis komisaras sustabdė automobilį, iššoko lauk ir ėmė ją vytis. Netrukus suprato, kad niekada jos nepavys ir sustojo dvejodamas. Kaip tik tą akimirką pamatė ją krentant. Kai prilėkė prie jos, Ingrid, nespėjusi atsikelti, prapliupo švediškai, o jos žodžiuose aiškiai girdėjosi sumišę baimė ir pyktis.

– Eik velniop! – išrėkė, trindama dešinę čiurną.

– Kelkis ir nekvailiok.

Ji pakluso, sunkiai, pasiremdama į Montalbaną, kuris stovėjo nejudėdamas, nepadėdamas jai.

Varteliai atsivėrė lengvai, su durimis buvo daugiau vargo.

– Leisk man, – tarė Ingrid. Ji atsekė paskui jį nesipriešindama, tarsi susitaikiusi su likimu. Bet jau pasiruošusi gynybos planą.

– Ten, viduje, vis tiek nieko nerasi, – stovėdama tarpduryje metė iššūkį.

Pasitikėdama savimi uždegė šviesą, bet pamačiusi baldus, vaizdajuostes, puikiai apstatytą kambarį sustojo, jos nuostabą išdavė kaktoje įsirėžusi raukšlė.

– Man sakė...

Ir tuoj pat susivaldė, nebaigdama sakinio. Truktelėjusi pečiais pažvelgė į Montalbaną, laukdama, ką jis pasakys.

– Į miegamąjį, – tarė komisaras.

Ingrid išsižiojo, pasiruošusi ištarti kažką nešvankaus, bet neišdrįso, apsisuko ir šlubčiodama pasuko į kitą kambarį, įjungė šviesą, šį kartą neparodydama jokios nuostabos, tarsi žinotų, kad čia viskas gerai. Atsisėdo lovugalyje. Montalbanas atidarė kairiąsias spintos duris.

– Ar žinai, kieno šie drabužiai?

– Manau, kad Silvijaus, inžinieriaus Luparelo.

Komisaras atidarė viduriniąsias duris.

– Ar šie perukai tavo?

– Gyvenime nebuvau užsidėjusi peruko.

Kai atidarė dešiniąsias duris, Ingrid užsimerkė.

– Gali žiūrėti, vis tiek nieko nebepakeisi. Jos tavo?

– Taip, bet...

–... jų čia neturėtų būti, – užbaigė už ją Montalbanas.

Ingrid krūptelėjo.

– Iš kur žinai? Kas tau pasakė?

– Niekas, aš pats supratau. Juk esu policininkas, pamiršai? Rankinė irgi buvo spintoje?

Ingrid pritariamai linktelėjo galva.

– O kur buvo papuošalas, kurį sakei pametusi?

– Rankinėje. Kartą buvau jį užsisegusi, paskui atėjau čia ir pamiršau.

Ji nutilo ir ilgai žiūrėjo komisarui į akis.

– Ką visa tai reiškia?

– Grįžkime į svetainę.

Ingrid paėmė iš indaujos taurę, pripylė iki pusės viskio, išgėrė visą beveik vienu ypu, vėl prisipylė.

– Nori?

Montalbanas atsisakė, prisėdo ant sofos ir žiūrėjo į jūrą, šviesa kambaryje buvo pakankamai blausi, kad matytų ją anapus lango. Ingrid atsisėdo greta.

– Atvažiuodavau čia pasigėrėti jūra malonesnėmis progomis.

Ji pasislinko, padėjo galvą komisarui ant peties, šis nepajudėjo, suprato, kad tai – ne bandymas jį sugundyti.

– Ingrid, ar prisimeni, ką tau sakiau mašinoje? Kad mūsų pokalbis neoficialus?

– Taip.

– Atsakyk nuoširdžiai. Sukneles į spintą pakabinai tu pati ar kas nors kitas?

– Aš pati. Jų man galėjo prireikti.

– Buvai Luparelo meilužė?

– Ne.

– Kaip tai ne? Panašu, kad čia jautiesi kaip namuose.

– Su Luparelu mylėjausi tik vieną kartą, praėjus pusmečiui po atvykimo į Montelūzą. Ir niekada daugiau. Jis mane atsivežė čia. Bet mes tapome draugais, tikrais draugais, kaip man dar niekada nebuvo atsitikę su vyru, net gimtinėje. Galėjau jam pasakoti viską, visiškai viską, jei ištikdavo kokia bėda, jis mane ištraukdavo, nieko neklausinėdamas.

– Nori mane įtikinti, kad tą vienintelį kartą, kai buvai su juo, atsivežei čia sukneles, džinsus, kelnaites, rankinę ir pakabuką? Ingrid suirzusi atsitraukė.

– Niekuo nenoriu tavęs įtikinti. Tiesiog pasakoju. Po kurio laiko paklausiau Silvijaus, ar retkarčiais negalėčiau pasinaudoti šiuo namuku, ir jis man leido. Prašė tik vieno – elgtis apdairiai ir niekam nesakyti, kam jis priklauso.

– Kai norėdavai čia atvažiuoti, kaip sužinodavai, kad namai laisvi?

– Buvome sutarę telefono skambučius. Aš laikiausi Silvijui duoto žodžio. Atvažiuodavau čia tik su vienu vyriškiu, visada tuo pačiu.

Ji gurkštelėjo didelį gurkšnį, pečiai tarsi nusviro.

– Tas vyras prieš dvejus metus prievarta įsiveržė į mano gyvenimą. Nes po to aš jau nebenorėjau.

– Po ko?

– Po pirmojo karto. Tokia padėtis mane baugino. Bet jis ... lyg apakęs, aš esu, kaip sakoma, jo apsėdimas. Tik fizine prasme. Norėtų matytis kiekvieną dieną. O kai atsivežu jį čia, puola mane lyg patrakęs, nuplėšo drabužius. Štai kodėl spintoje laikau jų pamainą.

– Ar tas vyras žino, kieno šis namas?

– Niekada jam nesakiau, o jis niekada ir neklausė. Supranti, jis nepavydus, tik geidžia manęs, niekada nesiliautų būti manyje, kiekvieną akimirką pasiruošęs mane mylėti.

– Suprantu. Ar Luparelas žinojo, kad jį čia atsiveži?

– Jis niekada manęs neklausė, o aš niekada jam nesakiau. Ingrid atsistojo.

– Ar negalėtume pasikalbėti kur nors kitur? Ši vieta dabar mane slegia. Tu vedęs?

– Ne, – atsakė Montalbanas nustebęs.

– Važiuojam pas tave, – ir nelinksmai nusišypsojo. – Sakiau, kad taip baigsis, prisimeni?

Trylika

Nė vienas iš jų nenorėjo kalbėti, ketvirtį valandos važiavo tylėdami. Tačiau Montalbanas ir vėl nepajėgė nuslopinti savo, policininko, prigimties. Privažiavęs tiltą per Kanetą, pasuko į šalikelę, sustojo, išlipo iš mašinos ir liepė Ingrid išlipti. Nuo tilto aukštumos komisaras mostelėjo į mėnulio šviesoje boluojančią senvagę.

– Matai, – tarė, – ši upės vaga veda tiesiai į paplūdimį. Ji labai stati, pilna akmenų ir riedulių. Ar mokėtum ja pravažiuoti?

Ingrid įsižiūrėjo kelią, jo pradžią, tiek, kiek pajėgė matyti, teisingiau, nuspėti.

Šypsodamasi prisimerkusi pažvelgė į komisarą.

– Tu viską apie mane žinai, tiesa? Na, tai ką turėčiau daryti?

– Važiuoti,– tarė Montalbanas.

– Gerai. Palauk čia.

Ji įsėdo į automobilį, pajudėjo. Po poros akimirkų žibintų šviesos išnyko Montalbanui iš akių.

– Ir viso gero. Apdūmė mane, – susitaikė su praradimu komisaras.

Pasiruošęs ilgam žygiui į Vigatą, išgirdo ją grįžtant staugiančiu varikliu.

– Gal pavyks. Turi žibintą?

– Dėkle.

Moteris atsiklaupė, apšvietė automobilio apačią, atsistojo.

– Turi nosinę?

Montalbanas ištiesė jai nosinę ir ji susitvarstė skaudančią kulkšnį.

– Sėsk.

Atbuliniu bėgiu pasiekė vieškelį, atsišakojantį nuo pagrindinio kelio, vedantį po tiltu.

– Komisare, aš pabandysiu. Bet nepamiršk, kad viena mano koja išėjusi iš rikiuotės. Prisisek diržą. Galiu lėkti?

– Taip, svarbiausia, kad pasiektume paplūdimį sveiki ir gyvi.

Ingrid įjungė bėgį ir šovė lyg kulka. Nesiliaujantis kratymas truko gal dešimt minučių, Montalbanui pasirodė, kad jo galva tuoj atitruks nuo kūno ir išskris pro langą. Ingrid buvo rami, vairavo iškišusi liežuvio galiuką, komisarui panūdo jai pasakyti, kad jį įtrauktų, galėjo netyčia nusikąsti. Atvažiavus į paplūdimį, Ingrid paklausė:

– Išlaikiau egzaminą?

Tamsoje jos akys žaižaravo. Ji buvo susijaudinusi ir patenkinta.

– Taip.

– Dabar važiuokime atgal.

– Gal išprotėjai! Pakaks.

Ji teisingai pasakė, pavadindama tai egzaminu. Tik tas egzaminas nieko neišsprendė. Tą kelią Ingrid puikiai mokėjo pravažiuoti, ir tai bylojo jos nenaudai, tačiau komisaro prašymas jos nesuerzino, tik nustebino, ir tai bylojo jos naudai. O kaip derėtų vertinti tai, kad ji nesudaužė automobilio? Jos naudai ar nenaudai?

– Na? Važiuojam dar kartą? Tai – vienintelė šio vakaro akimirka, kai tikrai pasismaginau.

– Ne, juk pasakiau, ne.

– Tuomet vairuok tu, man per daug skauda.

Komisaras nuvažiavo pakrante, automobilis buvo sveikas, niekas nesugadinta.

– Tu puikiai vairuoji.

– Matai, – Ingrid staiga prabilo rimtai, profesionaliai, – tuo keliu gali pravažiuoti kiekvienas. Tačiau ne kiekvienam pavyksta pasiekti kelio galą tokiu pat tvarkingu automobiliu, koks buvo kelio pradžioje. Nes paskui gali atsidurti asfaltuotame kelyje, ne tokiame paplūdimyje, kaip šis, ir turi atsigriebti lėkdamas. Atrodo, nepaaiškinau.

– Puikiai paaiškinai. Tas, kuris leisdamasis sudaužo pakabas, to nesugeba.

Privažiavęs avių aptvarą, Montalbanas pasuko į dešinę.

– Matai tuos didelius krūmus? Ten rado Luparelą.

Ingrid nieko nepasakė, atrodė, kad jai tai neįdomu. Jie važiavo taku, tą vakarą judėjimas buvo nedidelis, paskui pasuko prie senąją gamyklą juosusios sienos.

– Čia su Luparelu buvusi moteris pametė papuošalą ir permetė per sieną rankinę.

– Mano rankinę?

– Taip.

– Tai buvau ne aš, – suniurnėjo Ingrid, – ir prisiekiu, šitoje istorijoje nieko nesuprantu.

Atvažiavus prie Montalbano namų, Ingrid nepajėgė išlipti iš mašinos, komisarui teko jai padėti apkabinus per liemenį, o ji atsirėmė į jo petį. Viduje moteris dribtelėjo ant pirmos pasitaikiusios kėdės.

– Viešpatie! Dabar man tikrai skauda.

– Eik į tą kambarį ir nusimauk kelnes, tuomet galėsiu sutvarstyti.

Ingrid dejuodama atsistojo ir nutipeno šlubčiodama, laikydamasi baldų ir sienų.

Montalbanas paskambino į komisariatą. Facijus pranešė, kad degalinės darbuotojas viską prisiminė, lengvai atpažino vairavusį vyriškį, tą, kurį norėjo nušauti. Turis Gambardela, vienas iš Kufaro gaujos, kaip ir buvo tikėtasi.

– Galucas nuvažiavo į Gambardelos namus, – tęsė Facijus, – žmona pasakė, kad jau dvi dienas jo nematė.

– Būčiau laimėjęs mūsų lažybas, – tarė komisaras.

– Ar aš panašus į tokį kvailį, kuris būtų sutikęs jų eiti?

Vonioje išgirdo bėgant vandenį, Ingrid, matyt, priklausė tai moterų daliai, kurios sutirpsta pamačiusios dušą. Surinko Džedžės mobilaus telefono numerį.

– Esi vienas? Gali kalbėti?

– Kai dėl vienatvės, esu vienas. O dėl kalbėjimo, pažiūrėsim.

– Man reikia vieno vardo. Ta informacija tavęs nesukompromituos, supratai? Bet atsakymas turi būti teisingas.

– Kokio vardo?

Montalbanas pasakė ir Džedžė nesunkiai ištarė reikiamą vardą, dar pridėdamas ir pavardę.

Ingrid gulėjo lovoje, apsivyniojusi didelį rankšluostį, kuris nedaug tepridengė.

– Atleisk, bet nepajėgiu stovėti.

Iš spintelės vonioje Montalbanas paėmė tūtelę su kremu ir ritinėlį tvarsčio.

– Duokš koją.

Jai pajudėjus, pasimatė mažytės kelnaitės ir atsidengė viena krūtis, lyg nutapyta dailininko, išmanančio apie moteris, o spenelis tarsi dairėsi aplink, susidomėjęs nepažįstama aplinka. Taip pat ir šį kartą Montalbanas suprato, kad Ingrid nesiekia jo sugundyti, ir pajuto jai dėkingumą.

– Pamatysi, netrukus pasijusi geriau, – tarė patepęs kremu kulkšnį ir tvirtai apvyniojęs tvarsčiu. Visą tą laiką Ingrid nenuleido nuo jo akių.

– Ar turi viskio? Atnešk man pusę taurės, be ledo.

Atrodė, lyg jie būtų seni pažįstami. Montalbanas atnešė taurę, paėmė kėdę ir atsisėdo prie lovos.

– Žinai, komisare, – tarė Ingrid žiūrėdama į jį žaliomis, spindinčiomis akimis, – esi pirmas vyras, kurį sutikau šiuose kraštuose per penkerius metus.

– Geresnis už Luparelą?

– Taip.

– Ačiū. O dabar noriu tavęs paklausti.

– Klausk.

Montalbanas jau žiojosi klausti, kai suskambo durų skambutis. Jis nieko nelaukė, sutrikęs nuėjo atidaryti. Už durų stovėjo Ana, civiliais drabužiais, šypsodamasi.

– Staigmena!

Pastūmėjusi jį į šalį, įėjo vidun.

– Dėkoju už džiaugsmingą sutikimą. Kur buvai visą vakarą? Komisariate man pasakė, kad tu namuose, atvažiavau, visur tamsu, skambinau gal penkis kartus, nieko, kol pagaliau pamačiau šviesą.

Įdėmiai pasižiūrėjo į Montalbaną, šis stovėjo tylėdamas.

– Kas tau? Gal liežuvį prarijai? Tuomet klausyk...

Ji nutilo, pro atviras miegamojo duris pamačiusi Ingrid, pusnuogę, su taure rankoje. Iš pradžių išbalo, paskui staiga paraudo.

– Atleisk, – sumurmėjo ir puolė lauk.

– Vykis ją! – sušuko Ingrid. – Pasiaiškink! Aš išeinu.

Įsiutęs Montalbanas paspyrė lauko duris taip, kad net sudrebėjo siena, Anos automobilis pajudėjo iš vietos su tokiu pat įniršiu, su kokiu jis užtrenkė duris.

– Po velnių, neprivalau nieko jai aiškinti!

– Man išeiti? – Ingrid sėdėjo lovoje, iš po rankšluosčio pergalingai kyšančia krūtine.

– Ne. Bet prisidenk.

– Atleisk.

Montalbanas nusivilko švarką ir marškinius, pakišo galvą po vonios čiaupu, paskui vėl atsisėdo prie lovos.

– Noriu žinoti visą papuošalo istoriją.

– Praėjusį pirmadienį Džakomą, mano vyrą, pažadino telefono skambutis, nesupratau, ką kalbėjo, labai norėjau miego. Jis skubiai apsirengė ir išėjo. Grįžo po dviejų valandų ir paklausė manęs, kur pasidėjo papuošalas, kurio jau senokai nesimatė namuose. Negalėjau jam pasakyti, kad pamiršau jį Silvijaus namuose, rankinėje, o jis norėjo jį pamatyti, nežinojau, ką sakyti. Todėl pasakiau, kad pamečiau jį beveik prieš metus, bet neprisipažinau, bijodama, kad jis supyks, tas papuošalas kainavo krūvą pinigų, be to, tai buvo jo dovana, dar Švedijoje. Tuomet Džakomas privertė mane pasirašyti tuščiame lape, pasakęs, kad to reikia draudimui.

– O kaip gimė ta avių aptvaro istorija?

– Tai atsitiko jau vėliau, kai jis grįžo pietų. Paaiškino man, kad jo advokatas, Ricas, pasakęs, jog draudimui reikia labiau įtikinamo paaiškinimo dėl pametimo, ir pasiūlęs avių aptvoro istoriją.

– Aptvaro, – kantriai pataisė Montalbanas, tas klaidingas tarimas jį erzino.

– Aptvaro, aptvaro, – pakartojo Ingrid. – Tiesą sakant, manęs toji istorija neįtikino, atrodė nevykusi, per daug neįtikėtina. Tada Džakomas pasakė, kad visi ir taip mane laiko kekše, todėl visiškai tikėtina, kad man galėjo šauti mintis prašytis nuvežamai į avių aptvarą.

– Suprantu.

– Bet aš nesuprantu!

– Jie norėjo tave įvelti.

– Nesuprantu šito žodžio.

– Paklausyk: Luparelas miršta avių aptvare, kur atvažiuoja su moterimi, įkalbėjusia jį ten važiuoti, supratai?

– Supratau.

– Kažkas nori įtikinti, jog ta moteris esi tu. Tavo rankinė, tavo papuošalas, tavo drabužiai Luparelo namuose, tu moki pravažiuoti Kaneto senvage... Aš turėčiau padaryti tik vieną išvadą: tos moters vardas Ingrid Sjostrom.

– Supratau, – tarė ji ir nutilo, įsmeigusi akis į stiklinę rankoje. Paskui papurtė galvą.

– Negali būti.

– Kas?

– Kad Džakomas eina išvien su tais, kurie, kaip tu sakai, nori mane įvelti.

– Gal jį privertė. Žinai, tavo vyro finansinė padėtis nekokia.

– Jis nieko man nesako, bet aš supratau. Tačiau esu tikra, kad jei jis tai padarė – tai ne dėl pinigų.

– Ir aš tuo beveik neabejoju.

– Tuomet kodėl?

– Turėtų būti kitas paaiškinimas, būtent, kad tavo vyras buvo priverstas įpainioti tave, jog apsaugotų kitą, jam artimesnį žmogų. Palauk.

Jis nuėjo į kitą kambarį, kur stovėjo popieriais nukrautas nedidelis rašomasis stalas, ir paėmė nuo jo Nikolo Dzito atsiųstą faksą.

– Nuo ko apsaugotų kitą žmogų? – paklausė Ingrid vos pamatė jį sugrįžtant. – Jei Silvijus mirė mylėdamasis, niekas dėl to nekaltas, jo niekas nenužudė.

– Ne, Ingrid, apsaugotų ne nuo įstatymo, o nuo skandalo.

Moteris pradėjo skaityti faksą, iš pradžių nustebusi, paskui vis labiau smagindamasi, o skaitydama apie polo klubą nusijuokė. Paskui staiga paniuro, paleido lapą ant lovos, palenkė galvą į šoną.

– Ar tavo uošvis yra tas vyras, kurį veždavaisi į Luparelo vilą?

Buvo akivaizdu, kad Ingrid teko prisiversti atsakyti.

– Taip. Kaip matau, Montelūzoje jau pasklido kalbos, nors padariau viską, kad to nebūtų. Tai pats nemaloniausias dalykas, koks man atsitiko Sicilijoje, per visą tą laiką, kai čia gyvenu.

– Neprivalai pasakoti smulkmenų.

– Noriu paaiškinti, kad ne aš tai pradėjau. Prieš dvejus metus mano uošvis turėjo dalyvauti suvažiavime Romoje. Jis pakvietė mus su Džakomu važiuoti kartu, bet paskutinę akimirką mano vyras negalėjo važiuoti, tačiau primygtinai norėjo, kad aš važiuočiau, Romos dar nebuvau aplankiusi. Viskas buvo gerai, bet paskutinę naktį jis atėjo į mano kambarį. Atrodė lyg pamišęs, prasidėjau su juo tik norėdama jį nuraminti, jis rėkė, grasino. Grįžtant lėktuve verkė, kartojo, kad daugiau tai nepasikartos. Žinai, mes gyvename kartu. Vieną popietę, kai mano vyro nebuvo namie, o aš ilsėjausi lovoje, jis vėl atėjo, kaip ir tą naktį, visas drebėdamas. Ir vėl pabūgau, kambarinė buvo virtuvėje... Kitą dieną pasakiau Džakomui, kad norėčiau persikelti gyventi kitur, jis nustebo, aš primygtinai prašiau, mes susipykome. Dar kelis kartus bandžiau apie tai pasikalbėti, bet jis nenorėjo sutikti. Žvelgiant jo akimis, jis buvo teisus. O mano uošvis vis gretinosi, bučiuodavo mane, čiupinėdavo, kai tik rasdavo progą, rizikuodamas, kad jį gali pamatyti jo žmona ar Džakomas. Todėl paprašiau Silvijaus leisti retkarčiais pasinaudoti jo namu.

– Tavo vyras ką nors įtaria?

– Nežinau, galvojau apie tai. Kartais man atrodo, kad taip, kartais manau, kad ne.

– Ingrid, dar vienas klausimas. Kai atvažiavome į Masarijos kyšulį, atidarydama duris pasakei, kad viduje vis tiek nieko nerasiu. O kai pamatei, kad viduje viskas buvo taip, kaip visada, labai nustebai. Kažkas tau pažadėjo, kad iš Luparelo namo bus viskas išnešta?

– Taip, man tai pasakė Džakomas.

– Tuomet tavo vyras žinojo?

– Palauk, nepainiok. Kai Džakomas man pasakė, ką turėčiau kalbėti tiems iš draudimo, jei imtų manęs klausinėti, kitaip tariant, kad buvau su juo avių aptvare, aš sunerimau dėl ko kito, būtent, kad anksčiau ar vėliau, mirus Silvijui, kas nors atras jo namuką, o jame – mano drabužius, rankinę ir visa kita.

– Kaip manai, kas galėjo juos atrasti?

– Nežinau, gal policija ar jo giminės... Viską papasakojau Džakomui, tik sumelavau, nieko nepasakiau apie jo tėvą, leidau jam suprasti, kad ten susitikinėdavau su Silvijum. Vakare jis man pasakė, kad viskas gerai, vienas draugas viskuo pasirūpino, jei kas nors suras namuką, jame pamatys tik baltas sienas. Ir aš patikėjau. Kas tau?

Montalbanas nustebo.

– Kaip tai, kas man?

– Tu visą laiką čiupinėji sprandą.

– A, taip, man jį skauda. Gal susitrenkiau, kai leidomės Kaneto senvage. O kaip kulkšnis?

– Ačiū, jau geriau.

Ingrid prapliupo juoktis, jos nuotaika keitėsi staiga, kaip vaikui.

– Kodėl juokiesi?

– Tau sprandas, man kulkšnis... Lyg du ligoniai.

– Ar pajėgsi atikelti?

– Jei būtų mano valia, likčiau lovoje iki rytojaus ryto.

– Dar turime reikalų. Renkis. Pajėgsi vairuoti?

Keturiolika

Raudona plokščia Ingrid mašina vis dar stovėjo prie „Marinelos" baro, akivaizdu, kad vogti ją pasirodė neparanku, Montelūzoje ir apylinkėse tokių automobilių matėsi nedaug.

– Sėsk į savo mašiną ir sek paskui mane, – tarė Montalbanas. – Grįžtame į Masarijos kyšulį.

– Viešpatie, ko? – Ingrid apsiniaukė, ji visai nenorėjo ten grįžti, ir komisaras ją suprato.

– Tavo pačios labui.

Žibintų šviesoje, nors juos tuoj pat išjungė, komisaras spėjo pamatyti, kad vilos varteliai atrakinti. Jis išlipo iš mašinos ir priėjo prie Ingrid automobilio.

– Lauk manęs čia. Išjunk šviesas. Gal prisimeni, ar išeidami mes uždarėme vartelius?

– Gerai neprisimenu, bet man atrodo, taip.

– Apsuk mašiną kaip galėdama tyliau.

Moteris pakluso, dabar automobilio priekis buvo pasuktas į pagrindinį kelią.

– Gerai klausyk. Aš einu ten, o tu klausyk ištempusi ausis, jei išgirsi mane šaukiant ar pajusi ką nors įtartino, negalvodama važiuok, grįžk namo.

– Manai, kad viduje kažkas yra?

– Nežinau. Tu daryk, kaip sakiau.

Iš mašinos paėmė maišelio formos rankinę ir savo pistoletą. Nuėjo stengdamasis žengti lengvai, nusileido laiptais, lauko durys šį kartą atsidarė lengvai ir be garso. Peržengė slenkstį, rankoje laikydamas pistoletą. Svetainė buvo blankiai nušviesta jūros atspindžių. Spyriu atidarė vonios duris, paskui ir visas kitas, jausdamasis lyg amerikiečių televizijos komiškų filmų herojus. Namai buvo tušti, jokių pėdsakų, kad kažkas čia būtų lankęsis, nusiramino pagalvojęs, kad vartelius pats užmiršo uždaryti. Atidarė svetainės langą, pažvelgė žemyn. Ten, kur stovėjo namas, Masarijos kyšulys skrodė jūrą tarsi laivo pirmagalis, apačioje turėjo būti gilu. Į rankinę pridėjo sidabrinių stalo įrankių ir sunkią krištolinę peleninę, pasuko ją virš galvos ir metė tolyn, nelengva bus ją rasti. Paskui iš miegamojo kambario spintos surinko viską, kas priklausė Ingrid, ir išėjo patikrinęs, ar gerai uždarė lauko duris. Vos pasirodė laiptų viršuje, jį apakino Ingrid automobilio žibintų šviesa.

– Sakiau sėdėti išjungus šviesas. Kodėl apsukai mašiną?

– Nenorėjau palikti tavęs vieno, jei būtum patekęs į bėdą.

– Imk savo drabužius.

Ji paėmė, pasidėjo greta ant sėdynės.

– O rankinė?

– Išmečiau į jūrą. Dabar važiuok namo. Jie neturi nieko, kas padėtų tave įvelti.

Ingrid išlipo, priėjo prie Montalbano ir jį apkabino. Kiek pastovėjo taip, padėjusi galvą jam ant krūtinės. Paskui, nė nepažvelgusi į jį, sėdo į automobilį, įjungė bėgį ir nuvažiavo.

Tiesiai prieš tiltą per Kanetą stovėjo automobilis, užstodamas beveik visą kelią, o prie jo – vyras, atsirėmęs alkūnėmis į stogą, delnais užsidengęs veidą, svyruodamas.

– Kas atsitiko? – paklausė Montalbanas sustojęs.

Vyras pasisuko, jo veidas buvo visas kruvinas, kraujas plūdo iš didelės žaizdos per visą kaktą.

– Kažkoks kvailys, – atsakė.

– Nesupratau, gal galite paaiškinti, – Montalbanas išlipo iš mašinos ir priėjo prie jo.

– Ramiai sau važiavau, tik staiga kažkoks kalės vaikas aplenkia mane, vos nenublokšdamas nuo kelio. Tada įsiutau ir puoliau jį vytis, spausdamas signalą ir įjungęs tolimas šviesas. Staiga jis sustojo skersai kelio. Išlipo, laikydamas kažką rankoje, nespėjau pamatyti ką, priėjo prie manęs, mano langelis buvo nuleistas, ir nieko nepasakęs trenkė man per galvą tuo, ką laikė rankoje, tuomet supratau, kad tai buvo veržlių raktas.

– Reikia pagalbos?

– Ne, kraujas jau pradeda krešėti.

– Norite parašyti pareiškimą?

– Prašau nejuokinti, man skauda galvą.

– Gal jus palydėti į ligoninę?

– Gal malonėtumėte eiti velniop?

Kada paskutinį kartą jam pavyko žmoniškai išsimiegoti? Dabar ir vėl tas sumautas sprando skausmas, niekaip nesiliaujantis, nesvarbu, gulėtų ant pilvo ar ant nugaros, jokio skirtumo, skausmas nerimo, bukas, maudžiantis, nediegiantis, kas buvo tik blogiau. Įjungė šviesą, laikrodis rodė ketvirtą. Ant staliuko vis dar tebebuvo tepalas ir tvarstis, kurių reikėjo Ingrid. Paėmė tepalą, prieš vonios veidrodį išsitepė sprandą, paskui aptvarstė, tvarsčio galą priklijavo lipnia juostele. Gal sutvarstė per kietai, sunkai galėjo pasukti galvą. Pasižiūrėjo į veidrodį. Ir tuomet galvoje žybtelėjo akinamas blyksnis, užtemdydamas net vonios šviestuvą, jis pasijuto lyg komiksų personažas, kurio akys skleidžia rentgeno spindulius, prasiskverbiančius kiaurai daiktų.

Mokykloje senas klebonas jiems dėstė tikybą. „Tiesa yra šviesa“, – pasakė jis vieną dieną.

Montalbanas nebuvo pareigingas mokinys, nemėgo mokytis, visada sėdėdavo paskutiniame suole.

„Kai šeimoje visi sako tiesą, mažiau moka už elektrą.“

Taip jis garsiai pakomentavo klebono žodžius ir buvo išmestas iš klasės.

Dabar, po trisdešimties metų, mintyse atsiprašė senojo klebono.

– Kaip baisiai jūs atrodote! – sušuko Facijus vos pamatęs jį įžengiant į komisariatą. – Blogai jaučiatės?

– Palik mane ramybėje, – tiek teatsakė Montalbanas. – Kokios naujienos apie Gambardelą? Radote jį?

– Nieko. Išgaravo. Manau, rasime jį kur nors laukuose, sudraskytą šunų.

Kapralo balsas skambėjo kažkaip keistai, per daug ilgai jį pažinojo, kad to nepastebėtų.

– Kas atsitiko?

– Galą nuvežė į greitosios pagalbos ligoninę, susižeidė ranką, nieko baisaus.

– Kaip jam pavyko?

– Su tarnybiniu automobiliu.

– Lėkė? Į kažką atsitrenkė?

– Taip.

– Gal tau replėmis žodžius iš gerklės traukti?

– Na, skubiai nusiunčiau jį į miestelio turgų, ten kilo peštynės, jis šoko lėkti, žinote, kaip jis važiuoja, nuskrido nuo kelio ir trenkėsi į stulpą. Automobilį nuvežė į mūsų dirbtuves Montelūzoje, o mums paskyrė kitą.

– Facijau, sakyk tiesą: padangos buvo perpjautos?

– Taip.

– Ir Galas jų nepatikrino, nors šimtą kartų liepiau jam tai padaryti! Kaip jūs negalite suprasti, kad padangų pjaustimas yra šito sumauto miestelio nacionalinis sportas! Pasakyk jam, kad šiandien darbe nesirodytų, nes jei pamatysiu – taip išpersiu, kad savaitę negalės sėdėti.

Užtrenkė savo kabineto duris, buvo tikrai įsiutęs, susirado skardinę dėžutę, kurioje laikė viską nuo pašto ženklų iki ištrūkusių sagų, išėmė senosios gamyklos raktą ir išėjo neatsisveikinęs.

Sėdėdamas ant supuvusios sijos, prie kurios rado Ingrid rankinę, žiūrėjo į tai, kas tąkart jam pasirodė neapibrėžtas daiktas, tarsi jungiamoji vamzdžių mova, bet dabar aiškiai matė, jog tai – kaklo įtvaras, atrodytų, naujas, nors akivaizdu, kad naudotas. Lyg paveiktas pamatyto vaizdo vėl sumaudė sprandas. Jis atsistojo, pakėlė įtvarą, išėjo iš gamyklos ir grįžo į komisariatą.

– Komisare? Kalba Stefanas Luparelas.

– Klausau, inžinieriau.

– Užvakar savo pusbroliui Džordžui pasakiau, kad jūs šįryt dešimtą lauksite jo komisariare. Bet prieš dešimt minučių man paskambino teta, jo motina. Nemanau, kad Džordžas galės pas jus ateiti, kaip tikėjosi.

– Kas atsitiko?

– Tiksliai nežinau, bet šiąnakt jis, atrodo, nenakvojo namuose, taip man sakė teta. Grįžo visai neseniai, apie devynias, apgailėtinos būklės.

– Inžinieriau, prašau atleisti, bet iš jūsų motinos kalbos supratau, jog jis gyvena jūsų namuose.

– Taip buvo iki tėvo mirties, paskui persikėlė atgal į savo namus. Mirus tėvui, pas mus jautėsi labai suvaržytas. Šiaip ar taip, teta iškvietė daktarą ir šis suleido jam migdomųjų. Dabar jis jau giliai įmigęs. Žinote, man jo labai gaila. Jis buvo labai prisirišęs prie tėvo.

– Suprantu. Jei pamatysite savo pusbrolį, pasakykite, kad man tikrai reikia su juo pasikalbėti. Neskubiai, kai tik galės.

– Be abejo. Tiesa, mama dabar yra greta manęs, prašo perduoti jums linkėjimus.

– Perduokite jai manuosius. Pasakykite, kad aš... Inžinieriau, jūsų motina yra nepaprastas žmogus. Pasakykite jai, kad pelnė didžiausią mano pagarbą.

– Būtinai pasakysiu, ačiū.

Montalbanas sugaišo visą valandą vienus raštus pasirašydamas, o kitus rašydamas. Tai buvo ne tik painios, bet ir niekam nereikalingos anketos iš ministerijos. Įpuolė susijaudinęs Galucas, kuris ne tik nepasibeldė, bet taip stumtelėjo duris, kad šios trinktelėjo į sieną.

– Po galais, kas čia dabar? Ko tau?

– Ką tik sužinojau iš kolegos Montelūzoje. Nužudė advokatą Ricą. Nušovė. Rado prie jo automobilio, San Džiuzipucu gatvėje. Jei norite, sužinosiu daugiau.

– Tiek to, aš pats važiuoju.

Montalbanas dirstelėjo į laikrodį, buvo vienuolikta, išbėgo tekinas.

Saro namuose niekas neatsakė. Montalbanas pabeldė į gretimas duris, jas atidarė karingos išvaizdos senutė.

– Ko reikia? Ko čia baladojatės?

– Ponia, prašau atleisti, ieškau ponų Montaperto.

– Ponų Montaperto? Kokie jie ponai! Tik nususę šlavėjai!

Buvo akivaizdu, kad tų dviejų šeimų nesiejo draugystės saitai.

– Kas jūs toks?

– Policijos komisaras.

Moters veidas nušvito, ji suspigo patenkintu balsu.

– Turidru! Turidru! Greičiau ateik!

– Kas nutiko? – paklausė pasirodęs nepaprastai liesas senis.

– Tas ponas yra komisaras! Matai, kad mano buvo tiesa? Matai, kad jų ieško policija! Matai, kad jie buvo apsimetėliai! Matai, kad jie pabėgo, nenorėdami sėsti į kalėjimą!

– Ponia, kada jie pabėgo?

– Dar nė pusvalandis nepraėjo. Su visu vaiku. Jei paskubėsite, dar galite juos pasivyti.

– Ačiū, ponia. Lekiu vytis.

Sarui, jo žmonai ir mažyliui pavyko išvažiuoti.

Pakeliui į Montelūzą jį du kartus sustabdė, pirma šaulių patrulis, paskui karabinierių patrulis. Blogiausia laukė San Džiuzipucu gatvėje, pro užkardas ir patikrinimo postus mažiau nei penkis kilometrus važiavo keturiasdešimt penkias minutes.

Įvykio vietoje rado vyriausiąjį policijos komisarą, karabinierių pulkininką ir visą Montelūzos policijos komisariatą. Ten buvo ir Ana, ji apsimetė jo nepastebinti. Jakomucis dairėsi aplink, ieškojo, kam galėtų viską papasakoti, su visomis smulkmenomis. Vos pastebėjęs Montalbaną, šoko prie jo.

– Egzekucija pagal visas taisykles, negailestinga.

– Keliese buvo?

– Tik vienas, bent jau šaudė tik vienas. Vargšas advokatas šį rytą pusę šešių išvažiavo iš savo biuro, kur buvo pasiimti dokumentų, ir pasuko Tabitos link, ten turėjo susitikti su klientu. Iš biuro išvažiavo vienas, dėl to nėra jokios abejonės, bet pakeliui į mašiną įsėdo dar kažkas, ką jis pažinojo.

– O gal tik pakeleivis, paprašęs pavėžėti?

Jakomucis prapliupo nuoširdžiai juoktis, kažkas net atsisuko į jį pasižiūrėti.

– Ar tu įsivaizduoji Ricą, su visais jo titulais, sustojantį pavėžėti kokį nepažįstamą? Juk jis bijojo net savo šešėlio! Geriau už mane žinai, kad už Luparelo stovėjo Ricas. O ne, tą žmogų jis tikrai pažinojo, koks nors mafijozas.

– Sakai, mafijozas?

– Tegul mane griausmas. Mafija pakėlė kainas, reikalauja vis daugiau, o politikai ne visada gali patenkinti jų norus. Bet yra ir kita hipotezė. Jis ko nors netesėjo, o dabar, išrinktas į naujas pareigas, jautėsi stiprus. Ir to jam neatleido.

– Jakomuci, sveikinu, šįryt tavo protas stebėtinai aiškus, matyt, gerai išsikakojai. Kaip gali būti toks tikras tuo, ką sakai?

– Sprendžiu iš to, kaip jis nužudytas. Iš pradžių jam suspardė kiaušus, paskui parklupdė, pridėjo prie sprando vamzdį ir nušovė.

Montalbanui vėl sumaudė sprandą.

– Kokiu ginklu?

– Paskuanas sako, kad, sprendžiant iš pirmo žvilgsnio, pagal skyles, kur kulka įlėkė ir išlėkė, ir turint omeny, jog vamzdis buvo prispaustas prie odos, pistoletas turėtų būti septynių ir šešiasdešimt penkių kalibro.

– Komisare Montalbanai!

– Tave kviečia vyriausiasis komisaras, – tarė Jakomucis ir pasitraukė. Vyriausiasis komisaras šypsodamas ištiesė Montalbanui ranką.

– Kokie vėjai jus čia atpūtė?

– Tiesą pasakius, jau ruošiausi išvažiuoti. Buvau Montelūzoje, išgirdau naujieną ir atvažiavau smalsumo pastūmėtas.

– Tuomet iki šio vakaro. Labai prašau ateiti, mano žmona jūsų laukia.

Tai buvo tik prielaida, tokia trapi, kad jei nors akimirką stipriau į ją įsigilintų, ji galėjo sutrupėti į smulkiausius gabalėlius. Bet iki galo spaudė greičio pedalą ir ties viena užkarda vos neparagavo kulkos. Prilėkęs Masarijos kyšulį net neišjungė variklio, iššoko iš mašinos palikęs atviras dureles, lengvai atrakino vartelius ir lauko duris, įpuolė į miegamąjį. Spintelės stalčiuje pistoleto nebuvo. Tokio kvailumo negalėjo sau atleisti: po to pirmo karto, kai rado ginklą, buvo sugrįžęs į namuką dar du kartus kartu su Ingrid ir nepagalvojo patikrinti, ar pistoletas vis dar savo vietoje, pagaliau nepatikrino net tąkart, kai rado atrakintus vartelius, tiesiog nusiramino, įtikinęs save, kad pats pamiršo juos užrakinti.

„Dabar šlaistysiuos", – pagalvojo grįžęs namo. Žodis „šlaistytis" jam patiko, tai reiškė, kad dabar jis be jokio tikslo vaikštinės iš kambario į kambarį, arba užsiims visiškai nereikalingais darbais. Lentynoje perstatė knygas, sutvarkė rašomąjį stalą, ištiesino ant sienos kreivai kabojusį paveikslą, nuvalė dujinę viryklę. Šlaistėsi. Nejautė alkio, nenuėjo į restoraną ir net neatidarė šaldytuvo, kad pažiūrėtų, ką jam paliko Adelina.

Įeidamas kaip visada įjungė televizorių. Pirmoji „Televigatos" pranešėjo pasakyta naujiena buvo advokato Rico nužudymo detalės. Detalės, nes apie patį nužudymą jau pranešta neeilinėje žinių laidoje. Žurnalistas neabejojo, kad advokatą nužudė mafija, išsigandusi jo išrinkimo į aukštas politines pareigas, kuriose jis būtų galėjęs geriau kovoti su organizuotu nusikalstamumu. Nes toks buvo atsinaujinusios partijos šūkis: negailestingas karas su mafija. Ir Nikolas Dzitas, strimgalviais parlėkęs iš Palermo, „Retelibera" studijoje kalbėjo apie mafiją, tačiau taip painiai, kad iš to, ką pasakė, negalėjai nieko suprasti. Tarp eilučių, teisingiau, tarp žodžių, Montalbanas jautė, kad Dzitas galvoja apie žiaurų sąskaitų suvedimą, tačiau nesakė to atvirai, bijodamas, kad prie jau turimos šimtinės ieškinių neprisidėtų dar vienas. Galiausiai Montalbanui įgriso tos tuščios kalbos, jis išjungė televizorių, užtraukė žaliuzes, užkirsdamas kelią dienos šviesai, ir taip kaip stovi, apsirengęs krito ant lovos ir susirangė į kamuoliuką. Norėjo atsyti. Dar vienas jo pamėgtas žodis, reiškiantis atsitolinimą nuo žmonių. Tą akimirką Montalbanui jis kaip niekad tiko.

Penkiolika

Elizos, vyriausiojo policijos komisaro žmonos, kūrinys Montalbanui pasirodė ne naujas mėsos kukulių gaminimo receptas, o dieviškas įkvėpimas. Įsidėjo antrą didžiulę porciją, o matydamas, kad ir ši netruks pasibaigti, kramtė kaip įmanydamas lėčiau, kad nors trumpam pratęstų tą malonumą, kurį jam teikė valgis. Ponia Eliza žiūrėjo į jį nušvitusi: kaip ir visos geros virėjos ji mėgavosi palaimos kupinais jos patiekalus valgančiųjų veidais. Dėl savo veido išraiškos Montalbanas visada buvo vienas mylimiausių jos svečių.

– Ačiū, labai ačiū, – pagaliau prabilo komisaras atsidusdamas. Kukuliai padarė stebuklą, bet tik iš dalies: Montalbanas susitaikė su žmonėmis ir su Dievu, tačiau vis dar negalėjo susitaikyti su pačiu savim.

Pasibaigus vakarienei namų šeimininkė nurinko nuo stalo indus ir pastatė ant jo butelį „Chivas" komisarui ir karčiosios užpiltinės savo vyrui.

– Dabar galite kalbėtis apie tikruosius negyvėlius, o aš einu žiūrėti filmą apie prasimanytus negyvėlius, jie man mielesni.

Tokios apeigos kartojosi bent kartą per dvi savaites, Montalbanui vyriausiasis komisaras ir jo žmona buvo labai mieli, o sutuoktiniai jam jautė tokią pat simpatiją. Vyriausiasis komisaras buvo rafinuotas, išsilavinęs ir santūrus žmogus, tarsi atkeliavęs iš anų laikų.

Jie kalbėjosi apie pragaištingą politinę padėtį, pavojingą nežinomybę, į kurią šalį stumia nedarbas, apie viešosios tvarkos ydas. Paskui vyriausiasis komisaras tiesiai paklausė:

– Ar negalėtumėt paaiškinti, kodėl iki šiol nebaigėte Luparelo bylos? Šiandien man skambino susirūpinęs Lo Bjankas.

– Piktas?

– Ne, kaip sakiau, susirūpinęs. Negana to, sutrikęs. Negali suprasti jūsų delsimo. Tiesą sakant, aš irgi jo nesuprantu. Montalbanai, jūs mane pažįstate ir žinote, kad niekada neleisčiau sau spausti savo pavaldinių, kad šie nuspręstų vienaip ar kitaip.

– Puikiai tai žinau.

– Todėl dabar noriu tik paklausti, ir tik siekdamas patenkinti savo asmeninį smalsumą. Kalbuosi su Montalbanu draugu, nepamirškite to. Draugu, kurio protą, įžvalgumą, ir, svarbiausia, šiandien taip retą kultūringą bendravimą su žmonėmis turiu laimės pažinti.

– Pone vyriausiasis komisare, dėkoju jums ir būsiu atviras, kaip jūs to nusipelnėte. Šioje istorijoje mano abejones pirmiausia sukėlė lavono suradimo vieta. Ji tiesiog akivaizdžiai netiko prie Luparelo asmens ir elgsenos, kaip žinome, jis buvo apdairus, atsargus žmogus, garbėtroška. Todėl paklausiau: kodėl jis tai padarė? Kodėl tenkinti savo geidulių važiavo į avių aptvarą, žinodamas, kad ten tokie santykiai gali tapti labai pavojingi, netgi sugriauti visą jo įvaizdį? Ir į šį klausimą neradau atsakymo. Pone vyriausiasis komisare, suprantate, tai panašu tarsi respublikos prezidentas mirtų nuo širdies smūgio šokdamas roką prastos reputacijos diskotekoje.

Vyriausiasis komisaras pakėlė ranką, pertraukdamas jo kalbą.

– Jūsų palyginimas visai nederamas, – tarė šypsodamas, nors tai nebuvo šypsena. – Pastaruoju metu kai kurie mūsų ministrai nevengė šokti daugiau ar mažiau prastos reputacijos naktiniuose klubuose, bet liko gyvi.

Jo lūpos, aiškiai pasiruošusios pridurti žodį „deja", jo taip ir neištarė.

– Tai nieko nekeičia, – užsispyręs tęsė Montalbanas. – Ir tą pirmąjį įspūdį man visiškai patvirtino inžinieriaus našlė.

– Jūs buvote susitikę? Toji ponia – vienas protas.

– Ji pati pageidavo su manim susitikti, jūsų patarta. Vakarykščiame pokalbyje ji man pasakė, kad jos vyras Masarijos kyšulyje turėjo vilą pasimatymams, ir davė jos raktą. Kam jam reikėjo važiuoti į avių aptvarą, kur rizikavo būti atpažintas?

– Aš klausiau to paties.

– Tarkime – tai tik prielaida diskusijai palaikyti – jis ten nuvažiavo įtikintas moters, turinčios nepaprastą įtaigos jėgą. Ji ne iš tų, kurios dirba avių aptvare, jį ten nuvežė beveik nepravažiuojamu keliu. Nepamirškite, vairavo moteris.

– Sakote, nepravažiuojamu keliu?

– Taip, ne tik turiu liudytojų, tuo keliu liepiau pravažiuoti savo kapralui ir pats juo pravažiavau. Automobilis važiavo Kaneto upės senvage ir sudaužė pakabas. Kai mašina, beveik įvažiavusi į vešlius krūmus, sustoja, moteris užgula greta sėdintį vyrą ir pradeda mylėtis. Būtent to veiksmo metu inžinierius pasijunta blogai ir miršta. Tačiau moteris nešaukia, nekviečia pagalbos: su kraują stingdančiu abejingumu išlipa iš mašinos, lėtai nužingsniuoja taku, vedančiu į pagrindinį kelią, įsėda į pravažiuojantį automobilį ir išnyksta.

– Taip, labai keista. Moteris prašė ją pavėžėti?

– Ne, atrodo, jai pasisekė. Turiu dar vieną to liudijimą. Automobilis, į kurį ji įsėdo, atvažiavo labai greitai, pravertomis durelėmis, tarsi vairuotojas būtų žinojęs, ką sutiks kelyje ir ką turės pavėžėti, negaišdamas nė akimirkos.

– Komisare, atleiskite, ar šie liudijimai įtraukti į protokolą?

– Ne. Nebuvo priežasties. Matote, vienas dalykas yra tikras: inžinierius mirė savo mirtimi. Oficialiai neturiu jokio pagrindo atlikti tyrimą.

– Na, jei viskas buvo taip, kaip sakote, pagrindu galėtų būti vengimas suteikti pagalbą.

– Ar pritarsite, jei pasakysiu, kad tai nesąmonė?

– Taip.

– Taigi tiek buvau sugalvojęs, kai ponia Luparelo atkreipė mano dėmesį į esminį dalyką, būtent, kad jos vyras miręs mūvėjo išvirkščiomis trumpikėmis.

– Palaukite, – prabilo vyriausiasis policijos komisaras, – pasvarstykime. Iš kur ponia sužinojo, kad jos vyras mūvėjo išvirkščiomis trumpikėmis, net jei jos ir buvo išvirkščios? Kiek žinau, ponia nebuvo nuvykusi į nusikaltimo vietą ir neskaitė ekspertų ataskaitų.

Montalbanas sunerimo, suprato per daug pasakęs, nepagalvojo, kad nereikėtų painioti Jakomucio, davusio našlei nuotraukas. Bet nebegalėjo išsisukti.

– Ponia turėjo ekspertų darytas nuotraukas, nežinau, kas jai perdavė.

– Atrodo, aš žinau, – pratarė vyriausiasis komisaras paniurdamas.

– Atidžiai ištyrė jas pro padidinamąjį stiklą, aš irgi mačiau, ji neklydo.

– Iš šios aplinkybės ponia susidarė savo nuomonę?

– Be abejo. Ji remiasi prielaida, kad jei jos vyras rengdamasis atsitiktinai būtų apsimovęs išvirkščiomis trumpikėmis, dieną neišvengiamai būtų tai pastebėjęs. Jis turėjo dažnai šlapintis, gėrė spaudimą mažinančius vaistus. Taigi remdamasi šia hipoteze ponia Luparelo mano, kad inžinierius, užkluptas, švelniai tariant, trikdančioje padėtyje, buvo priverstas skubiai rengtis ir važiuoti į avių aptvarą, kur, vėlgi, pasak ponios, būtų negrįžtamai sukompromituotas, taip, kad turėtų pasitraukti iš politikos. Tai dar ne visas.

– Noriu išgirsti viską.

– Tuodu šlavėjai, atradę kūną, prieš pranešdami policijai pajuto pareigą paskambinti advokatui Ricui, kurį žinojo esant Luparelo *alter ego*. Tačiau Ricas ne tik nenustemba, neapstulbsta, nesusijaudina – ne, jis liepia kuo greičiau pranešti policijai.

– Iš kur jūs žinote? Gal turite pasiklausymo įrangą? – sunerimęs pakausė vyriausiasis komisaras.

– Jokio pasiklausymo, vienas iš šlavėjų žodis žodin užrašė visą pokalbį. Padarė tai dėl priežasčių, kurias aiškinti užtruktų.

– Planavo šantažuoti?

– Ne, planavo parašyti pjesę. Patikėkite, jis neturėjo nė mažiausio ketinimo nusikalsti. Čia priėjome viso reikalo esmę, būtent Ricą.

– Palaukite. Šį vakarą ketinau rasti pretekstą jums papriekaištauti. Dėl jūsų polinkio supainioti paprastus dalykus. Neabejoju, kad skaitėte Šiašios *Kandidą*? Prisiminkite, kaip pagrindinis herojus tvirtina, kad beveik visada viskas yra daug paprasčiau, nei atrodo. Tiek tenorėjau jums priminti.

– Taip, bet matote, Kandidas sako „beveik visada", nesako „visada". Jis pripažįsta, kad yra išimčių. O Luparelo atvejis būtent toks, kur viskas atrodo paprasta tik iš pažiūros.

– O iš tikro yra sudėtinga?

– Pakankamai. Kai dėl *Kandido*, ar prisimenate paantraštę?

– Aišku, *Sapnas, regėtas Sicilijoje*.

– Taigi, bet mes susiduriame su slogučiu. Drįsiu pateikti vieną hipotezę, kuri dabar, kai nužudytas Ricas, vargiai galės būti patvirtinta. Taigi vėlyvą sekmadienio popietę, apie septynias, inžinierius telefonu praneša žmonai, kad šiandien užtruks labai ilgai, nes turi svarbų susirinkimą politikos klausimais. Tačiau važiuoja į meilės pasimatymą savo viloje Masarijos kyšulyje. Iškart pasakysiu, kad prireikus sunkiai pavyktų nustatyti asmenį, tą vakarą susitikusį su inžinieriumi, nes Luparelas buvo abipusis.

– Atleiskite, ką tai reiškia? Mano krašte „abipusis" sakoma apie tą, kuris vienodai valdo ir dešinę, ir kairę, nesvarbu, ranką ar koją.

– Nors netaisyklingai, šis žodis vartojamas ir kalbant apie tuos, kurie vienodai santykiauja ir su vyrais, ir su moterimis.

Jie kalbėjo rimtai, lyg du profesoriai sudarinėjantys naują žodyną.

– Ką kalbate?! – nesusivaldė vyriausiasis komisaras.

– Ponia Luparelo kuo aiškiausiai leido man tai suprasti. O jai nebuvo jokio reikalo meluoti, ypač šiuo klausimu.

– Apsilankėte toje viloje?

– Taip. Viskas tobulai sutvarkyta. Viduje tik inžinieriui priklausę daiktai, nieko svetimo.

– Tęskite savo hipotezę.

– Lytinio santykio metu, arba iškart po jo, ką rodo rasti spermos pėdsakai, Luparelas miršta. Su juo buvusi moteris...

– Palaukit, – nutraukė vyriausiasis komisaras. – Kodėl tvirtinate, kad ten buvo moteris? Juk pats man ką tik atskleidėte, pavadinkime, dvipusį inžinieriaus lytinį potraukį.

– Tuoj pasakysiu, kodėl esu tuo tikras. Taigi supratus, kad jos meilužis nebegyvas, moterį apima panika, ji nesumoja ką daryti, susijaudina, netgi pameta pakabuką, tačiau to nepastebi. Paskui nusiramina ir supranta, kad gali tik paskambinti Ricui, Luparelo šešėliui, prašydama jo pagalbos. Ricas liepia jai skubiai važiuoti iš vilos lauk, prašo kur nors palikti raktą, kad galėtų įeiti į vidų ir užtikrina, kad viską sutvarkys, ji galinti nesijaudinti, niekas nesužinos apie taip tragiškai pasibaigusį susitikimą. Nurimusi moteris išeina.

– Kaip išeina? Argi ne moteris nuvežė Luparelą į avių aptvarą?

– Ir taip, ir ne. Ricas lekia į Masarijos kyšulį, skubėdamas aprengia negyvėlį, nori jį iš ten išvežti į kokią nors mažiau kompromituojančią vietą. Tuomet ant grindų pamato pakabuką, o spintoje – skambinusios moters sukneles. Ir supranta, kad tą dieną jam nusišypsojo laimė.

– Kodėl?

– Todėl, kad dabar gali priremti prie sienos visus, draugus ir priešus, tapti pirmuoju asmeniu partijoje. Jam skambinusi moteris yra Ingrid Sjostrom, švedė, pono Kardamonės, Luparelo įpėdinio, sūnaus žmona, to veikėjo, kuris, nėra abejonės, niekuo nenorės su Ricu dalytis. Dabar suprantate, kad viena – skambutis, bet visai kas kita – įrodymas, jog Sjostrom yra Luparelo meilužė. Ir tai dar ne viskas. Ricas supranta, kad į politinį Luparelo palikimą kibs jo šalininkai, taigi, norint jais atsikratyti, reikia sukurti tokias aplinkybes, kuriose jiems būtų gėda žygiuoti po Luparelo vėliava. Luparelą reikia visiškai sutrypti, sumurkdyti į purvą. Jam šauna puiki mintis nugabenti jį į avių aptvarą, o jei taip, kodėl neįtikinus, kad ten su juo važiavusi moteris yra būtent Ingrid Sjostrom, užsienietė, tikrai ne vienuolė, trokštanti stimuliuojančių įspūdžių? Jei spektaklis pavyks, Kardamonė bus jo rankose. Jis paskambina savo dviems parankiniams, kurie, kaip žinome, nors negalime įrodyti, yra žemiausio rango galvažudžiai. Vienas iš jų vardu Andželas Nikotra, homoseksualistas, savo aplinkoje geriau žinomas Merilin vardu.

– Iš kur sužinojote vardą?

– Man jį pasakė mano informatorius, kuriuo visiškai pasitikiu. Galima sakyti, tam tikra prasme mes draugai.

– Džedžė? Jūsų mokyklos draugas?

Montalbanas įsmeigė akis į vyriausiąjį komisarą, išsižiojęs iš nuostabos.

– Kodėl taip žiūrite į mane? Juk aš irgi policininkas. Tęskite.

– Kai jo vyrukai atvažiuoja, Ricas liepia Merilin persirengti moterimi, užsisegti papuošalą ir nuvežti kūną į avių aptvarą beveik nepravažiuojamu keliu – upės senvage.

– Ko jis tuo siekė?

– Papildomo įrodymo prieš Sjostrom, nes ji yra automobilių sporto čempionė ir gali tuo keliu pravažiuoti.

– Jūs tikras?

– Taip, sėdėjau mašinoje greta jos, kai ji važiavo senvage.

– Viešpatie, – suvaitojo vyriausiasis komisaras, – jūs ją privertėte?

– Jokiu būdu! Ji pati sutiko tai padaryti.

– Ar galite man pasakyti, kiek žmonių įtraukėte į šį žaidimą? Ar suprantate, kad žaidžiate su ugnimi?

– Patikėkite, galiausiai pasirodo, kad viskas tėra muilo burbulas. Taigi, kai tiedu išvažiuoja su negyvėliu, Ricas, pasiėmęs Luparelo raktus, grįžta į Montelūzą ir lengvai pasisavina labiausiai jam rūpėjusius inžinieriaus dokumentus. Tuo tarpu Merilin tiksliai vykdo tai, kas buvo jam liepta: suvaidinęs lytinį aktą, išlipa iš automobilio, eina tolyn ir prie senosios gamyklos po krūmais pameta pakabuką, o per gamyklą juosiančią sieną permeta rankinę.

– Apie kokią rankinę kalbate?

– Sjostrom rankinę, ant kurios yra net jos inicialai, jis atsitiktinai surado ją viloje ir nutarė pasinaudoti.

– Prašau paaiškinti, kodėl padarėte tokias išvadas.

– Matote, Ricas žaidžia viena atvira korta – papuošalu, ir viena paslėpta korta – rankine. Papuošalas, kad ir kaip jis būtų rastas, reikštų, kad Ingrid buvo avių aptvare tuo pat metu, kai ten mirė Luparelas. Jei kartais kas nors rastų papuošalą ir niekam nieko nesakydamas įsidėtų jį į kišenę, tuomet tektų mesti rankinės kortą. Bet jam pasiseka, papuošalą randa vienas iš šlavėjų, ir atiduoda jį man. Ricas sukuria gana tikėtiną jo pametimo istoriją, o kartu ir trikampį Sjostrom – Luparelas – avių aptvaras. Rankinę randu aš pats, remdamasis dviem liudijimais. Pagal vieną jų, iš inžinieriaus mašinos išlipanti moteris turėjo rankose rankinę, tačiau buvo be jos, kai pagrindiniame kelyje sėdo į kitą automobilį. Trumpiau tariant, du jo vyrukai grįžta į vilą, viską sutvarko ir grąžina jam raktus. Auštant Ricas paskambina Kardamonei ir pradeda savo žaidimą.

– Taip, o kartu pastato ant kortos savo gyvybę.

– Net jei taip buvo, tai – jau visai kita kalba, – tarė Montalbanas.

Vyriausiasis komisaras pažvelgė į jį sunerimęs.

– Ką norite tuo pasakyti? Kokį velnią dar sugalvojote?

– Tiesiog iš visos šitos istorijos vienintelis išėjęs gyvas ir sveikas yra Kardamonė. Ar jums neatrodo, kad Rico nužudymas jam buvo lyg siųstas apvaizdos?

Vyriausiasis komisaras pašoko, negalėjai suprasti, ar jis kalba rimtai, ar juokauja.

– Montalbanai, klausykit, meskite iš galvos savo genialias mintis! Palikite ramybėje Kardamonę, jis taurus žmogus, negalėtų nė musės nutrėkšti!

– Pone komisare, aš tik juokavau. Ar galiu paklausti, kas naujo tyrime?

– Kokių jums reikia naujienų? Juk žinote, koks tipas buvo Ricas, iš dešimties daugiau ar mažiau garbingų žmonių, kuriuos jis pažinojo, aštuoni būtų norėję matyti jį negyvą. Pulkai galimų žudikų, nesvarbu, pasiryžusių veikti asmeniškai, ar per kitus. Pasakysiu, kad jūsų pasakojimas pasirodys tikėtinas tik žinantiems, koks žmogus buvo advokatas Ricas.

Jis gurkštelėjo karčiosios.

– Jūs mane sužavėjote. Jūsų sudėtingas mąstymas panašus į akrobatinį numerį ant lyno, be apsauginio tinklo. Tiesą pasakius, jūsų svarstymas paremtas tuštuma. Niekaip negalite įrodyti to, ką man papasakojote, viską galima traktuoti kitaip, o geras advokatas sugriautų jūsų išvadas nė nesuprakaitavęs.

– Žinau.

– Ką manote daryti?

– Rytoj ryte pasakysiu Lo Bjankui, kad gali padėti bylą į archyvą.

Šešiolika

– Alio, Montalbanai? Čia Mimi Augelas. Pažadinau? Atleisk, bet norėjau tave nuraminti. Aš jau grįžau. Kada išvažiuoji?

– Lėktuvas iš Palermo išskrenda trečią, iš Vigatos turėčiau pajudėti pusę pirmos, iškart po pietų.

– Tuomet nepasimatysime, aš pasirodysiu darbe kiek vėliau. Yra naujienų?

– Facijus tau viską pasakys.

– Ilgai užtruksi?

– Iki ketvirtadienio imtinai.

– Pasilinksmink ir pailsėk. Facijus žino tavo telefono numerį Genujoje, tiesa? Jei atsitiktų kas nors labai svarbaus, paskambinsiu.

Jo pavaduotojas Mimi Augelas grįžo iš atostogų tiksliai kaip numatyta, dabar jis galėjo išvažiuoti nedvejodamas, Augelas susitvarkys. Paskambino Livijai, pranešdamas kada atskris, o Livija laiminga pasakė lauksianti jo oro uoste.

Vos atėjus į darbą, Facijus atraportavo, kad druskos gamyklos darbininkai, visi atleisti iš darbo, užėmė geležinkelio stotį. Jų žmonos, sugulusios ant bėgių, neleidžia važiuoti traukiniams. Kariuomenė jau atvyko į vietą. Ar jiems irgi reikia važiuoti?

– Ko?

– Na, nežinau, gal padėti...

– Kam?

– Kaip tai, kam? Karabinieriams, tiems, kas palaiko tvarką, juk tai irgi mūsų darbas, nebent kas nors įrodytų priešingai.

– Jei tau taip knieti kam nors padėti, tai verčiau padėk tiems, kurie užėmė geležinkelio stotį.

– Komisare, visada žinojau: jūs – komunistas.

– Komisare? Kalba Stefanas Luparelas. Atleiskite už skambutį, bet norėjau pasiteirauti: ar mano pusbrolis Džordžas buvo pas jus atėjęs?

– Ne, neturiu iš jo jokių žinių.

– Mes labai sunerimę. Vos atsigavęs nuo raminamųjų, jis išėjo ir vėl prapuolė. Mama klausia patarimo: gal reikėtų kreiptis į policijos komisariatą, kad pradėtų jo ieškoti?

– Ne. Pasakykite savo motinai, kad man tai atrodo nereikalinga. Džordžas tikrai sugrįš, pasakykite jai, kad gali nesijaudinti.

– Tačiau jei ką išgirstumėt, labai prašau mums pranešti.

– Apgailestauju, inžinieriau, tai bus labai sunku, nes kaip tik važiuoju atostogauti, grįšiu penktadienį.

Pirmosios trys dienos su Livija jos namelyje Bokadasėje beveik visiškai nustūmė Siciliją į užmarštį. Tam padėjo audringos naktys ir gilus miegas apsikabinus Liviją. Beveik visiškai, nes du ar tris kartus netikėtai kvapas, kalba, daiktai iš jo kraštų pagriebdavo jį, pakeldavo į orą, besvorį, ir keletui akimirkų nuskraidindavo atgal į Vigatą. Buvo tikras, kad Livija pastebėdavo tą akimirkos pasikeitimą, atitrūkimą ir žiūrėdavo į jį tylėdama.

Ketvirtadienį vakare sučirškė nelauktas Facijaus skambutis.

– Komisare, nieko svarbaus, tik norėjau išgirsti jūsų balsą ir įsitikinti, kad rytoj grįžtate.

Montalbanas puikiai žinojo, jog kapralo santykiai su Augelu buvo ne patys geriausi.

– Ieškai paguodos? Tas blogulis Augelas tave išpėrė?

– Viskas, ką bedaryčiau, jam niekaip neįtinka.

– Kantrybės, juk sakiau, rytoj grįžtu. Yra naujienų?

– Vakar suėmė merą ir tris valdybos narius. Kyšio paėmimas. Dėl uosto išplėtimo darbų.

– Pagaliau.

– Taip, bet neturėkite iliuzijų. Pas mus norėtų mėgdžioti Milano teisėjus, tačiau Milanas labai toli.

– Kas dar?

– Radome Gambardelą, prisimenate? Tą, kurį norėjo nušauti degalinėje. Jis netysojo kažkur laukuose, o gulėjo surištas savo automobilio bagažinėje, kurį vėliau padegė, visiškai sudegindami.

– Jei automobilis sudegė, kaip sužinojote, kad Gambardela buvo surištas?

– Komisare, jie naudojo vielą.

– Gerai, Facijau, rytoj pasimatysime.

Šį kartą jį apsupo ne tik jo krašto kvapai ir kalba, bet ir ten gyvenančiųjų kvailumas, žiaurumas, baimė.

Pasimylėjus Livija kiek patylėjo, paskui paėmė jo ranką.

– Kas tau? Ką pasakė tavo kapralas?

– Patikėk, nieko ypatinga.

– Tai kodėl paniurai?

Montalbano įsitikinimas dar kartą pasitvirtino: jei pasaulyje buvo žmogus, kuriam galėtų papasakoti viską, nieko neslėpdamas, tai tas žmogus buvo Livija. Vyriausiajam policijos komisarui papasakojo tik dalį tiesos, daug praleisdamas. Jis atsisėdo lovoje, pasitaisė pagalvę.

– Klausyk.

Papasakojo jai apie avių aptvarą, apie inžinierių Luparelą, apie švelnumą, kurį jam jautė vienas iš jo sūnėnų, Džordžas, kaip tas švelnumas palaipsniui virto meile, aistra, apie paskutinį jų susitikimą viloje Masarijos kyšulyje, apie Luparelo mirtį,

Džordžą, paklaikusį iš baimės dėl galimo skandalo, ne dėl savęs, bet dėl dėdės įvaizdžio, atminimo, kaip jaunuolis kaip įmanydamas jį aprengė, įnešė į mašiną, kad išvežtų lauk ir paliktų kur nors kitur, apie Džordžo neviltį supratus, kad jam nepavyks apsimesti, kad visi pamatys, jog veža negyvėlį, apie sumanymą uždėti jam kaklo įtvarą, kurį pats nusiėmė tik prieš kelias dienas ir kurį vis dar turėjo automobilyje, bandymą paslėpti įtvarą po juodu skuduru, kaip staiga pabūgo, kad jį gali užklupti epilepsijos priepuolis, kaip paskambino Ricui, paaiškino, kas buvo tas advokatas, kaip šis suprato, jog deramai pasukus reikalus toji mirtis gali tapti jo sėkmės valanda.

Papasakojo jai apie Ingrid, apie jos vyrą Džakomą, apie Kardamonę, apie smurtą – nerado kito žodžio – kurį šis naudojo prieš savo marčią („kaip šlykštu", – pasakė Livija), kaip Ricas įtarė šį ryšį, kaip bandė įpainioti Ingrid ir kaip jam pavyko apgauti Kardamonę, bet ne jį, papasakojo apie Merilin ir jo bendrininką, apie beprotišką kelionę automobiliu, apie siaubingą pantomimą avių aptvare sustojusioje mašinoje („atleisk, man reikia išgerti ko nors stipresnio"). Kai ji sugrįžo, papasakojo kitas bjaurias smulkmenas apie papuošalą, rankinę, sukneles, apie Džordžo kančią ir neviltį pamačius nuotraukas, supratus dvigubą Rico išdavystę – prieš Luparelo atminimą ir prieš jį patį, kuris tą atminimą bet kokia kaina stengėsi išsaugoti.

– Palauk, – pertraukė Livija. – Ar toji Ingrid graži?

– Nuostabi. O kadangi puikiai žinau, ką tu galvoji, pasakysiu dar daugiau: sunaikinau visus įkalčius prieš ją.

– Tai nepanašu į tave, – tarė Livija paniurdama.

– Padariau dar blogesnių dalykų, tik paklausyk. Ricas, laikantis savo rankose Kardamonę, pasiekia geidžiamą politinį tikslą, tačiau padaro klaidą – neįvertina Džordžo reakcijos. Tas jaunuolis angeliškai gražus.

– Oho, taip pat ir jis! – pabandė juoktis Livija.

– Tačiau labai jautrus, – tęsė komisaras. – Susijaudinęs, sutrikęs jis skuba į vilą Masarijos kyšulyje, paima Luparelo pistoletą, susitinka su Ricu, aptalžo jį, o paskui nušauna į sprandą.

– Tu jį suėmei?

– Ne, juk sakiau, kad padariau ir blogesnių dalykų už įkalčių sunaikinimą. Matai, mano kolegos iš Montelūzos mano, ir jų hipotezė galėtų būti ne be pagrindo, kad Ricą nužudė mafija. O aš nutylėjau tai, ką galvoju esant tiesa.

– Bet kodėl?

Montalbanas neatsakė, tik skėstelėjo rankomis. Livija nuėjo į vonią, komisaras išgirdo šniokščiant vandenį. Kai vėliau paklausė, ar gali įeiti, rado ją pilnoje vonioje, smakru parėmusią sulenktus kelius.

– Tu žinojai, kad namelyje yra pistoletas?

– Taip.

– Ir palikai jį ten?

– Taip.

– Pats save paaukštinai, tiesa? – paklausė Livija po ilgos tylos. – Nuo komisaro iki dievo, tegul trečiarūšio, bet vis dėlto dievo.

Išlipo iš lėktuvo ir puolė į aerouosto barą, po tų juodų pamazgų, kuriomis jį girdė skrendant, nenumaldomai troško tikros kavos. Išgirdo šaukiant, atsisukęs pamatė Stefaną Luparelą.

– Inžinieriau, jau grįžtate į Milaną?

– Taip, reikia pasirūpinti darbu, jau per ilgai buvau jį apleidęs. Noriu susirasti didesnį butą, kai tik pavyks, motina persikels gyventi pas mane. Nenoriu palikti jos vienos.

– Bet juk Montelūzoje ji turi seserį, sūnėną...

Inžinierius suakmenėjo.

– Tai jūs nieko nežinote?

– Ko?

– Džordžas mirė.

Montalbanas iš netikėtumo užspringo kava, padėjo puodelį.

– Kaip tai atsitiko?

– Prisimenate, jūsų išvykimo dieną paskambinau, klausdamas, ar jis nepasirodė?

– Gerai prisimenu.

– Kitą rytą jis vis dar nebuvo grįžęs. Todėl jaučiau pareigą pranešti policijai ir karabinieriams. Apgailestauju, bet jie dirbo labai atmestinai, gal buvo per daug užimti tirdami advokato Rico nužudymą. Sekmadienio popietę žvejys iš valties pastebėjo nuo uolų ties San Filipo posūkiu nukritusį automobilį. Žinote tą vietą? Netoli Masarijos kyšulio.

– Taip, žinau.

– Taigi žvejys prisiyrė arčiau tos vietos, kur gulėjo mašina, pamatė, kad prie vairo sėdi žmogus ir skubiai iškvietė pagalbą.

– Pavyko nustatyti avarijos priežastis?

– Taip. Mano pusbrolis nuo pat tėtės mirties buvo labai sutrikęs – per daug raminamųjų, per daug migdomųjų. Jis nepasuko, o nuvažiavo tiesiai, prakirsdamas apsauginę sienutę, važiavo labai greitai. Po tėvo mirties jis taip ir neatsigavo, tikrai jį mylėjo.

Ištarė šiuos žodžius tvirtai, aiškiai, tarsi norėdamas atsiriboti nuo bet kokio galimo jų prasmės atspalvio. Balsas garsiakalbyje pakvietė keleivius, skrendančius į Milaną.

Vos išvažiavęs iš aerouosto mašinų stovėjimo aikštelės, kur buvo palikęs savo automobilį, Montalbanas iki dugno paspaudė greičio pedalą, nenorėjo galvoti apie nieką, išskyrus vairavimą. Nuvažiavęs šimtinę kilometrų, sustojo tvenkinio pakraštyje, išlipo, atidarė bagažinę, paėmė kaklo įtvarą ir įmetė į vandenį, palaukė, kol šis nuskęs. Tik tada nusišypsojo. Norėjo elgtis kaip dievas, Livijos tiesa, bet tas trečiarūšis dievas šiame pirmajame, ir, tikėjosi, paskutiniame darbe viską nuspėjo teisingai.

Kelias į Vigatą vedė pro Montelūzos komisariatą. Ir būtent prieš jį Montalbano automobilis staiga nusprendė sustoti. Montalbanas visais būdais stengėsi jį atgaivinti, nesėkmingai. Išlipo ir jau suko į komisariatą pagalbos, kai prie jo priėjo pažįstamas policininkas, matęs jo bergždžias pastangas. Jis pakėlė kapotą, pasikrapštė, uždarė.

– Viskas gerai. Bet reikėtų užvažiuoti į dirbtuves.

Montalbanas vėl sėdo į automobilį, įjungė variklį, pasilenkė surinkti nukritusių laikraščių. Kai vėl atsitiesė, pravirame lange rymojo Ana.

– Ana, kaip laikaisi?

Mergina neatsakė, tik žiūrėjo į jį.

– Na?

– Manai esąs sąžiningas žmogus? – iškošė.

Montalbanas suprato, kad ji galvoja apie tą naktį, kai jo lovoje pamatė pusnuogę Ingrid.

– Ne, nemanau, – atsakė. – Bet ne dėl to, ką tu galvoji.

Autoriaus pastaba

Manau, būtina pareikšti, jog šis pasakojimas neparemtas kronika ir jame nėra realių faktų; žodžiu, jis yra grynas mano vaizduotės vaisius. Bet kadangi pastaruoju metu tikrovė tarsi siekia aplenkti vaizduotę, negana to, ją sunaikinti, gali būti, kad kur nors atsitiktinai sutapo vardai ar aplinkybės, dėl ko apgailestauju. Tačiau, žinia, už atsitiktinumo išdaigas negali atsakyti.

UAB „Baltų lankų" leidyba
Mėsinių g. 4, 2001 Vilnius
http://www.baltoslankos.lt
baltos.lankos@post.omnitel.net
Spausdino AB „Vilspa"
Viršuliškių sk. 80, 2056 Vilnius
Užsakymas 605